Marcello Flores

# HISTOIRE ILLUSTRÉE DU
# COMMUNISME

Préface de Pierre Milza

Traduction de l'italien
par Marie-Paule Duverne

ÉDITIONS
PLACE DES VICTOIRES

# Sommaire

# Préface

Il s'est écoulé près d'un siècle et demi entre la publication, en 1848, à Londres, du Manifeste du parti communiste, et la chute en 1989 du mur de Berlin : deux dates qui coïncident approximativement avec l'« ère industrielle ». Ce sont les contradictions apparentes d'un système porté par le développement sans précédent des forces productives qui ont incité le jeune Karl Marx à prôner une organisation à la fois plus rationnelle et plus juste de la société. Dans la lutte opposant la bourgeoisie, classe dirigeante, et le prolétariat, classe montante, la victoire du second préludera, estimait le philosphe allemand, à la mise en place d'une « société sans classe », où chacun recevrait selon ses besoins. Auparavant, il aura fallu que la classe ouvrière, organisée en parti révolutionnaire, établisse après la prise du pouvoir un régime autoritaire destiné à disparaître, une fois éliminés les détenteurs du pouvoir bourgeois.

Ce sont à la fois les fondements idéologiques et la mise en œuvre de ce programme qu'examine dans ce stimulant ouvrage l'historien italien Marcello Flores. Ce n'est, rappelle-t-il, qu'après sept décennies de luttes acharnées, d'abord pour prendre le contrôle de l'Association internationale des travailleurs (aux dépens des socialistes libertaires), puis pour s'imposer au sein des grandes formations sociales-démocrates, que les partisans de Marx – de bonne heure partagés entre réformistes et révolutionnaires – ont cru pouvoir donner un contenu concret à l'utopie communiste : ceci, dans un contexte que n'avait pas imaginé l'auteur du *Manifeste* et qui était celui de la Grande Guerre. Premier pays à porter au pouvoir les tenants de la dictature du prolétariat, la Russie était en même temps le plus retardé des États européens. De cette contradiction avec la prophétie marxienne, selon laquelle la Révolution devait triompher dans les pays les plus industrialisés, est issue en partie la dérive totalitaire du marxisme, l'essentiel tenant au fondement même d'une doctrine qui, radicalisée en ce sens par le léninisme, envisageait d'entrée de jeu l'élimination de l'adversaire de classe. Ici réside, préfiguré peut-être par celui du jacobinisme exterminateur de 1793, le « péché originel » du communisme.

L'auteur de ce passionnant récit expose avec une grande rigueur intellectuelle les raisons qui expliquent l'immense pouvoir d'attraction du marxisme, dans sa version bolchevique, autoritaire et totalitaire, auprès des masses prolétariennes, ainsi que les « déviances » qui auraient abouti aux crimes que l'on sait. Il me paraît toutefois que sa conclusion mérite examen. Les hommes et les femmes, écrit-il, qui ont adhéré au marxisme-léninisme, « se sont trompés, certes, mais leurs raisons étaient bonnes ». On se rappelle qu'après la disparition de Sartre, quelques intellectuels se sont pareillement félicités d'avoir eu tort avec ce dernier plutôt que raison avec Raymond Aaron. N'est-ce pas faire bon marché du choix que constitue la mise en place d'un système de terreur physique et idéologique – ce que fut le léninisme dès 1918 – au nom d'un hypothétique futur d'harmonie sociale qui ne s'est jamais concrétisé dans les faits ? Les « bonnes raisons » et la « belle idée » pour lesquelles des millions de militants désintéressés et souvent héroïques se sont sacrifiés n'ont nulle part enfanté autre chose – au cours de ce vingtième siècle qui a vu naître et se déliter, puis partiellement disparaître l'expérience communiste – que des régimes associant terreur, associée parfois à des massacres de masse, déconfiture économique et privilèges exorbitants réservés à la Nomenclature. Aussi ne faut-il point s'étonner qu'avec le nazisme hitlérien, auquel il fut un moment associé, le marxisme-léninisme continue à étendre son ombre cauchemardesque sur la mémoire collective de l'humanité.

Pierre MILZA

*Projet éditorial*
Flavio Fiorani, Mario Flores

*Rédaction*
Davide Mazzanti

*Conception graphique*
Enrico Albisetti

*Recherche iconographique*
Cristina Reggioli

© Aleksandr Aleksandrovič Dejneka, Marcello Dudovich, El Lissitzky, Joan Miró, Arkadij Plastov by SIAE 2003

ISBN 2-84459-073-X

© 2003, Giunti Gruppo Editoriale, Florence-Milan
pour l'édition originale.
© 2004, Éditions Place des Victoires, 6, rue du Mail - 75002 Paris,
pour l'édition en langue française.

Imprimé en Italie par Giunti Industrie Grafiche S.p.A.

HISTOIRE ILLUSTRÉE DU
# COMMUNISME

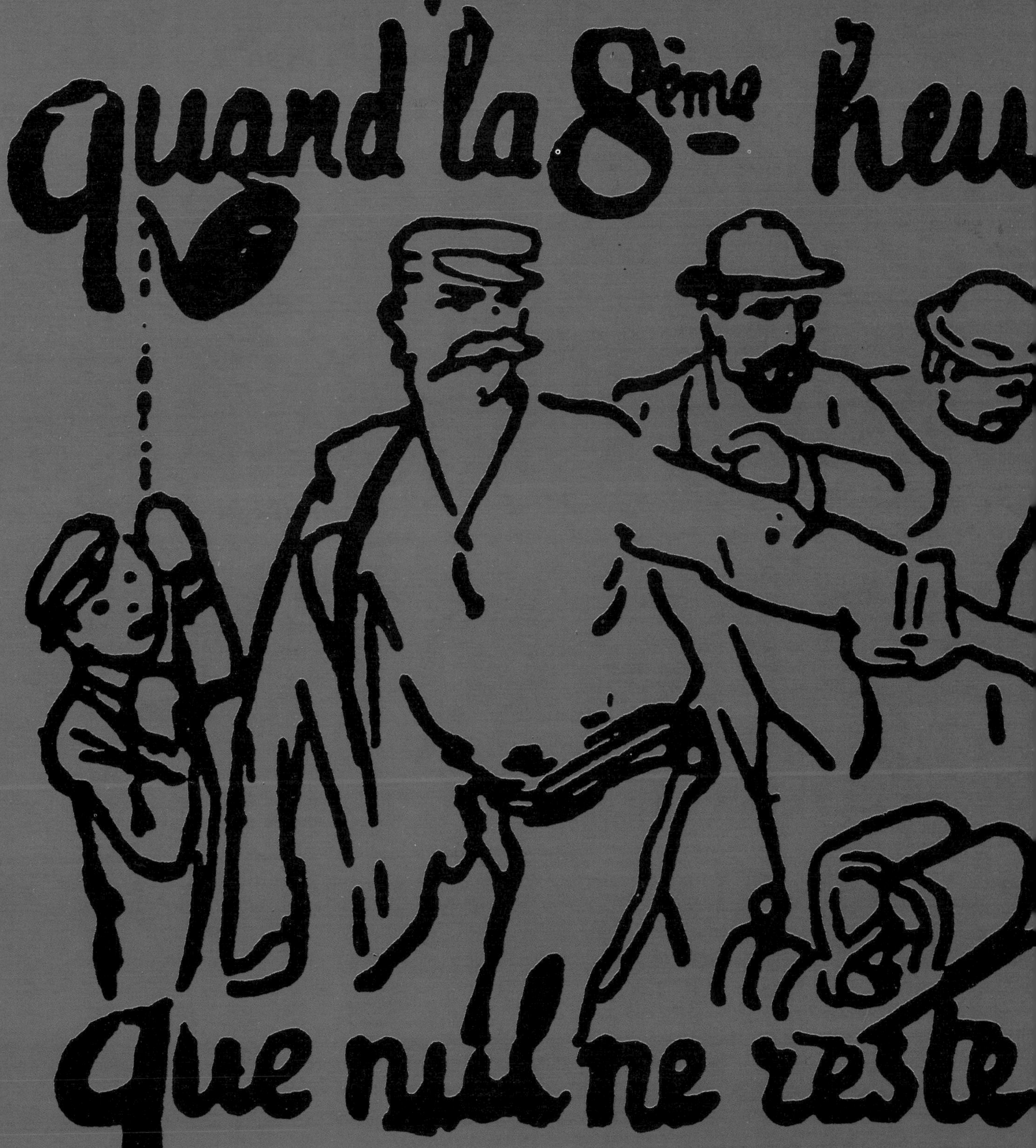
quand la 8ème heu
Que nul ne reste

# UN SPECTRE HANTE L'EUROPE

L e communisme a été, d'une part, une théorie qui a permis d'analyser et de bouleverser la société capi-taliste et, d'autre part, une expérience historique de transformation sociale, politique et économique ; une utopie qui a enflammé des millions d'hommes et un projet politique qui en a mobilisé autant.

Idéologie et organisation à même de rassembler les poussées spontanées vers la révolte et le changement qui se sont exprimées pendant la révolution industrielle, le communisme était aussi une volonté d'élaborer une prévision rationnelle de l'Histoire en y intégrant le rôle d'un sujet (la classe ouvrière et son parti politique) capable d'en accélérer et d'en modifier le cours.

Lorsqu'il fit son apparition, c'était un « spectre » aux yeux de la bour-geoisie, effrayée par les reven-dications d'un prolétariat qu'elle considérait tout simplement comme le « travail salarié », tandis que c'était pour celui-ci le moyen de se libérer de l'esclavage du tra-vail et des entraves écono-miques et politiques qu'elle lui avait imposés.

**SOLIDARITÉ OUVRIÈRE
ET NAISSANCE
DU COMMUNISME**
Pages 8-9 :
Dessin publié dans la *Voix
du Peuple*, en 1906.

Karl Marx et sa fille Jenny.

**1848 À PARIS**
Henri-Félix Philippoteaux,
*Lamartine refuse le drapeau rouge en
1848*, musée du Petit Palais, Paris.

# LA NAISSANCE DE L'ASSOCIATION
## INTERNATIONALE DES TRAVAILLEURS

La société industrielle est encore à ses débuts, et tensions et contradictions sont évidentes. Les conditions de travail et de vie de la classe ouvrière apparaissent précaires et insupportables, même aux yeux de ceux qui trouvent justes et naturelles une société constituée de différentes classes, la recherche du profit et la discipline du travail. Tandis que prennent forme la « révolution nationale », qui débouchera définitivement sur l'État-Nation, et la démocratie parlementaire dont la bourgeoisie libérale prendra la tête, la nouvelle classe ouvrière s'interroge sur sa condition et sur son avenir. Mais surtout, elle commence à lutter pour une vie différente. En février 1848 est publié, à Londres, le *Manifeste du parti communiste*, où sont résumés les analyses et les objectifs des centaines de militants de la Ligue des communistes.

Son auteur, Karl Marx, est un philosophe allemand de 30 ans qui, en 1843, a dû quitter la Prusse pour des raisons politiques ; après avoir séjourné à Paris et à Bruxelles, où il a été en contact avec les milieux révolutionnaires internationaux, il s'est réfugié à Londres.

Le *Manifeste*, dont le succès ira croissant au cours des décennies, n'aura eu, en réalité, aucune influence sur la révolution qui éclate à cette époque à Paris, et qui s'étendra jusqu'à Berlin, Vienne, Budapest, Prague, Milan et Venise. C'est la révolution qui est à l'origine du « printemps des peuples », printemps apparemment éphémère mais qui va néanmoins marquer l'avenir libéral et démocratique de toute l'Europe. Écrit en collaboration avec Friedrich Engels, ce pamphlet de Marx semble éclairer ces événements, grâce à l'analyse des contradictions dans lesquelles s'empêtre le développement économique et social européen, et à l'expli-

**AVEC LES OUVRIERS**
Tableau représentant Karl Marx
avec des ouvriers
français, en 1844.

**L'IDÉOLOGIE ALLEMANDE**
Page manuscrite de *Die deutsche Ideologie*, avec des dessins autographes de Friedrich Engels en marge du texte ; celui-ci trace un bilan critique de la première moitié du XIXᵉ siècle (à gauche).

**LA Iʳᵉ INTERNATIONALE**
Carte de l'Association internationale des travailleurs, au nom de Friedrich Engels (ci-contre).

cation de la nature des événements révolutionnaires et de leur contexte.

Le rôle central de l'économie et des rapports socio-économiques dans la caractérisation des différentes périodes historiques, l'hypothèse que l'existence des classes sociales et le combat qu'elles se livrent constituent le véritable moteur de l'Histoire, la conviction qu'à toute formation historique sociale doit en succéder une autre aux caractéristiques différentes et, enfin, l'idée qu'une société bourgeoise et capitaliste doit laisser la place à une société socialiste, fondée sur la suprématie du prolétariat, dernier acte de l'Histoire avant que puisse régner la liberté, c'est-à-dire le communisme : ce sont là les idées maîtresses du *Manifeste*, et de bien d'autres écrits de Marx et d'Engels.

En 1864, l'Association internationale des travailleurs est fondée à Londres, au cours d'un meeting de solidarité avec la Pologne, qui luttait alors pour son indépendance. Marx en rédige lui-même le programme et les statuts et prononce l'adresse inaugurale de ce que l'on connaîtra ensuite comme la Iʳᵉ Internationale. Les points clés du programme sont l'émancipation des travailleurs, possible à travers la lutte et l'organisation autonome des autres classes, la solidarité internationale et la coordination entre les travailleurs de tous les pays, et la conquête du pouvoir politique comme prémice de la transformation socialiste de la société.

À cette nouvelle association adhèrent différents groupes de travailleurs de toute l'Europe, souvent influencés par des idéologies révolutionnaires opposées et guidés par des leaders rivaux. Par exemple, on y trouve des tenants du

**UN LIEN PERSONNEL**
Karl Marx (à droite sur la photo), avec ses filles Jenny, Eleanor et Laura, en compagnie de Friedrich Engels (1864).

# KARL MARX

Né à Trèves en 1818, Marx fait des études de droit à Berlin, où il découvre la pensée de Hegel et entre en contact avec le groupe des « jeunes hégéliens ». Il s'installe alors à Iéna, abandonne le droit et s'inscrit à la faculté de philosophie, où il soutient une thèse sur Démocrite et Épicure. Rédacteur à la *Gazette rhénane* de 1842 à 1843, il s'installe à Paris quand le journal démocrate et radical de Cologne est obligé de fermer ; il y rencontre les premières organisations communistes, termine la rédaction de la *Critique de la philosophie du droit de Hegel* et se consacre à des études d'économie. En 1844, Marx se lie d'une grande amitié avec Friedrich Engels, et c'est le début de leur union et de leur collaboration, tant au niveau théorique qu'au niveau de la pratique politique. Dans les *Manuscrits économico-philosophiques* (1844), on lit que l'essence de la société bourgeoise procède de la force de travail aliénée que seule la dialectique peut surmonter dans le communisme. En 1845, sous la pression du gouvernement prussien, Marx doit quitter Paris et se réfugie à Bruxelles. En collaboration avec Engels, il y rédige *la Sainte Famille et l'Idéologie allemande*, un ouvrage qui ne sera publié qu'en 1932, en URSS, et dans lequel il élabore une conception matérialiste de l'Histoire dont le moteur est la lutte de classes. En 1848, la Ligue des communistes – dont il n'a pas pu suivre le premier congrès, en 1847 – lui demande de préparer un document théorique : il écrit, en collaboration avec Engels, le *Manifeste du parti communiste*, qui est publié à Londres. En 1849, après avoir été de nouveau expulsé d'Allemagne, il se réfugie à Londres, fait des études au British Museum et écrit pour le *New York Tribune* ; devenu père de famille – il a épousé Jenny, dont il a eu trois filles –, il doit souvent accepter l'aide financière d'Engels. En 1866, Marx, qui compte parmi les figures dominantes de l'Association internationale des travailleurs, commence la rédaction du *Capital*, dont le premier tome sera publié l'année suivante ; les deuxième et troisième tomes, rédigés par Engels, ne le seront qu'après sa mort, respectivement en 1885 et en 1894. Dans cet ouvrage, il développe une théorie qui se veut exhaustive et scientifique des luttes sociales et des luttes de classes dans la société capitaliste. Son activité politique se mêle à celle de l'écrivain et du polémiste, et il devient une référence théorique pour une grande partie du mouvement révolutionnaire. Il meurt en 1883, à Londres, deux ans après son épouse Jenny.

**L'ENFANCE, L'ŒUVRE ET LA MORT**
Représentation idéalisée de l'enfance (en haut) et de la mort (à gauche) de Karl Marx, extraite d'une série d'illustrations chinoises de l'époque.

À droite : annonce de la sortie de la seconde édition allemande du premier tome du *Capital*.

Bei **Otto Meissner** in **Hamburg** erscheint :

**Das Kapital.**

**Kritik der politischen Oekonomie**

von

**Carl Marx.**

Zweite verbesserte Auflage. In 9 Lieferungen à 10 Ngr. Bestellungen erbittet die **Königl. Hofbuchhand- lung** von **H. Burdach,** 18 Schloss-Strasse 18.

**LES PÈRES DU SOCIALISME**
Médaille du 1er mai 1892, avec les portraits d'August Bebel et de Wilhelm Liebknecht.

**LE RÉVOLUTIONNAIRE**
Portrait de Louis-Auguste Blanqui (1805-1881) (ci-contre).

**À TOUTE VAPEUR**
Illustration du *Der Wahre Jacob* (1892) : la journée de huit heures est symbolisée par un train que conduisent Marx et Engels et qui tire des wagons venant de plusieurs pays, mais dont la route est barrée par un taureau, le capitalisme (ci-dessous).

socialisme libertaire de Pierre-Joseph Proudhon, favorables à une organisation pluraliste et fédéraliste, des disciples de Louis-Auguste Blanqui, favorables, quant à eux, à une action insurrectionnelle et minoritaire afin de radicaliser les masses et d'accélérer le processus révolutionnaire, et ceux de Giuseppe Mazzini, tournés vers un républicanisme ouvrier, fortement empreint d'une éducation morale.

À partir de 1866, l'Internationale tient un congrès annuel. Le premier se déroule à Genève, où Marx ouvre une polémique sur les coopératives avec les proudhoniens, que ceux-ci considèrent comme la voie principale vers l'émancipation de la classe ouvrière. Deux ans plus tard, à Bruxelles, les proudhoniens sont de nouveau en minorité, alors qu'ils s'opposent à la nationa-

lisation de la terre et à tous les courants favorables à la lutte contre la guerre, à la journée de travail de huit heures et à la revendication des droits politiques pour les travailleurs. En 1869 participe au congrès de Bâle le premier Parti social-démocrate qu'August Bebel et Wilhelm Liebknecht ont fondé, un mois plus tôt, en Allemagne ; on y rencontre aussi Mikhaïl Bakounine et son organisation anarchiste.

En 1870, le congrès n'a pas lieu, à cause de la guerre entre la Prusse et la France, dont l'issue sera d'ailleurs décisive pour l'avenir de l'Association internationale des travailleurs.

**À MOITIÉ SEULEMENT**
Caricature de Pierre-Joseph
Proudhon due à Cham (ci-contre).

**CELUI QUI MINE LES BASES**
Caricature d'Adolphe Thiers due
à Moloch (à droite).

**LA BATAILLE
POUR LA COMMUNE**
Barricade de Communards
rue Saint-Sébastien, dans le
XIe arrondissement (1871).

## LA COMMUNE DE PARIS

C'est aussi, et peut-être même surtout, grâce à la Commune de Paris que le mot « communisme » se répand comme une traînée de poudre et devient le symbole d'une émancipation possible et d'une liberté effectivement accessible, encore que cela soit au prix de la lutte, du sang et des défaites.

La Commune est le nom que s'est donné le gouvernement révolutionnaire institué par le peuple parisien à la fin de la guerre entre la France et la Prusse (1870-1871). La défaite de Napoléon III à Sedan avait entraîné l'effondrement du second Empire et la naissance de la IIIe République, dirigée par le gouvernement d'Adolphe Thiers.

Pendant quatre mois, les Parisiens, qui s'étaient organisés en une garde nationale, défendent la capitale contre le siège des Prussiens, mais en janvier 1871, la capitulation est inévitable. La plupart des représentants de l'Assemblée nationale sont prêts à accepter les conditions humiliantes de paix dictées par le Premier ministre prussien Otto von Bismarck, notamment l'entrée de soldats prussiens à Paris. Constituée essentiellement par la population masculine parisienne d'origine prolétarienne, la garde nationale décide de s'opposer à cette décision et de mener une insurrection, dirigée par son propre comité central. Le mouvement explose les 17 et 18 mars et oblige le gouvernement à fuir à Versailles. Le 26 mars se tiennent les élections du Conseil de la Commune de Paris, dont les 70 membres, appelés les Communards, commencent immédiatement à légiférer et à prendre des initiatives révolutionnaires. La Commune réunit des partisans de Blanqui et de Proudhon, des jacobins et des radicaux, des communistes et des anarchistes.

Parmi les principales mesures adoptées, mentionnons la nationalisation des entreprises abandonnées par leurs

# MANIFESTE DU PARTI COMMUNISTE (Extrait)

« La société bourgeoise moderne, élevée sur les ruines de la société féodale, n'a pas aboli les antagonismes de classes. Elle n'a fait que substituer de nouvelles classes, de nouvelles conditions d'oppression, de nouvelles formes de lutte à celles d'autrefois. Cependant, le caractère distinctif de notre époque, de l'époque de la bourgeoisie, est d'avoir simplifié les antagonismes de classes. La société se divise de plus en plus en deux vastes camps ennemis, en deux grandes classes diamétralement opposées : la bourgeoisie et le prolétariat […].

La grande industrie a créé le marché mondial, préparé par la découverte de l'Amérique. Le marché mondial accéléra prodigieusement le développement du commerce, de la navigation, des voies de communication. Ce développement réagit à son tour sur l'extension de l'industrie ; et au fur et à mesure que l'industrie, le commerce, la navigation, les chemins de fer se développaient, la bourgeoisie grandissait, décuplant ses capitaux et refoulant à l'arrière-plan les classes léguées par le Moyen Âge. […]

Partout où elle a conquis le pouvoir, elle [la bourgeoisie] a foulé aux pieds les relations féodales, patriarcales et idylliques. Tous les liens complexes et variés qui unissaient l'homme féodal à ses supérieurs naturels, elle les a brisés sans pitié pour ne laisser subsister d'autre lien, entre l'homme et l'homme, que le froid intérêt, les dures exigences du *paiement au comptant*. Elle a noyé les frissons sacrés de l'extase religieuse, de l'enthousiasme chevaleresque, de la sentimentalité petite-bourgeoise dans les eaux glacées du calcul égoïste. Elle a fait de la dignité personnelle une simple valeur d'échange ; elle a substitué aux nombreuses libertés, si chèrement conquises, l'unique et impitoyable liberté du commerce. En un mot, à la place de l'exploitation que masquaient les illusions religieuses et politiques, elle a mis une exploitation ouverte, éhontée, directe, brutale. […]

La bourgeoisie, au cours de sa domination à peine séculaire, a créé des forces productives plus nombreuses et plus colossales que ne l'avaient fait toutes les générations passées mises ensemble. La mise sous le joug des forces de la nature, les machines, l'application de la chimie à l'industrie et à l'agriculture, les bateaux à vapeur, les chemins de fer, les télégraphes électriques, le défrichement de continents entiers, la régularisation des fleuves, des populations entières jaillies du sol – quel siècle antérieur aurait soupçonné que de pareilles forces productives dorment au sein du travail social ? […]

Or le développement de l'industrie, non seulement accroît le nombre de prolétaires, mais les concentre en masses plus considérables ; la force des prolétaires augmente et ils en prennent mieux conscience. Les intérêts, les conditions d'existence au sein du prolétariat s'égalisent de plus en plus, à mesure que la machine efface toute différence dans le travail et réduit presque partout le salaire à un niveau également bas. Par suite de la concurrence croissante des bourgeois entre eux et des crises commerciales qui en résultent, les salaires deviennent de plus en plus instables : le perfectionnement constant et toujours plus rapide de la machine rend la condition de l'ouvrier de plus en plus précaire ; les collisions individuelles entre l'ouvrier et le bourgeois prennent de plus en plus le caractère de collisions entre deux classes. »

**LE « MANIFESTE »**
Frontispice de la première édition du *Manifeste du parti communiste* (ci-dessus).

**THÉORICIEN, JOURNALISTE ET AGITATEUR**
Marx à un congrès de la Ligue communiste, en 1847 (ci-contre).

## L'EFFONDREMENT DU BONAPARTISME

Symbole du bonapartisme, la colonne Vendôme est abattue au point culminant de l'insurrection du peuple parisien qui aboutit à la proclamation de la Commune (ci-contre).

## LES CRIMES DE LA COMMUNE

Les otages – pour la plupart des religieux et des militaires – sont fusillés par les révolutionnaires dans la rue Haxo, derrière le cimetière de Belleville (en bas).

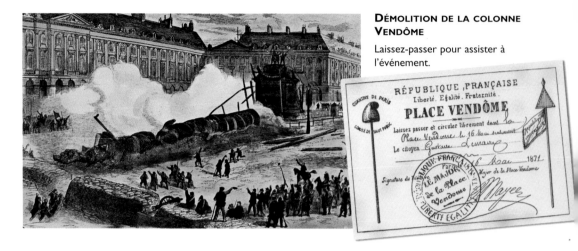

## DÉMOLITION DE LA COLONNE VENDÔME

Laissez-passer pour assister à l'événement.

propriétaires, la fin de la conscription obligatoire, la suppression de l'obligation de l'État de soutenir financièrement les cultes religieux, l'électivité de toutes les charges publiques et l'égalité des rémunérations. L'archevêque de Paris et le Président de la Cour de cassation sont pris en otages, avec une centaine de prêtres et de gendarmes. La Commune est alors assiégée par les troupes gouvernementales, aidées par les Prussiens. Tous les citoyens âgés de 18 à 40 ans sont enrôlés, tandis qu'un Comité de salut public reçoit tous les pouvoirs. Mais les 30 000 combattants de la Commune (les fédérés), mal équipés et peu entraînés, ne peuvent rien contre les 100 000 soldats du général Mac-Mahon (les versaillais) qui entrent dans Paris le 21 mai. C'est le début de la « Semaine sanglante » (22 au 22 mai) : les otages sont fusillés par les Parisiens, qui détruisent également les Tuileries, l'ancien palais royal, ainsi que d'autres bâtiments publics. Les troupes versaillaises répriment toute résistance dans le sang et font plus de 10 000 prisonniers. La plupart d'entre eux sont exécutés au cimetière du Père-Lachaise, devant ce qui a été baptisé depuis le « mur des Fédérés ». D'autres seront tués à Versailles ou déportés loin de la France. Au total, 20 000 Communards ont péri. Malgré la défaite, Marx a vu dans la Commune « essentiellement un gouvernement de la classe ouvrière, une forme politique enfin découverte qui pouvait permettre l'émancipation économique de la force de travail ». La lutte héroïque du prolétariat parisien a donné une forte impulsion à l'Association internationale des travailleurs, qui a vu ses rangs grossir et accueillir de nouveaux adhérents. Cette expérience montre qu'une révolution a besoin d'être guidée et que la démocratie directe – s'exprimant par des élections, et avec une rotation des

**PARIS TRAHI**
Adolphe Thiers remet les clefs
de Paris au comte de Chambord
pendant le siège de la capitale qui
a précédé la Commune.

charges – doit savoir se mettre entre les mains d'une avant-garde quand cela est nécessaire. En septembre 1872, le congrès de La Haye inclut un nouvel article qui résume le contenu de la résolution approuvée l'année précédente à Londres, lors du congrès organisé immédiatement après la défaite de la Commune : « Dans la lutte contre le pouvoir des classes possédantes, le prolétariat ne peut agir en tant que classe qu'en se constituant en parti politique distinct, opposé à tous les vieux partis formés par les classes possédantes. L'organisation du prolétariat dans un parti politique est indispensable pour assurer le triomphe de la révolution sociale et de son but suprême, à savoir l'abolition des classes. La coalition des forces ouvrières, déjà accomplie à travers la lutte économique, doit aussi servir de levier à cette classe dans la lutte contre le pouvoir politique de ses exploiteurs.

Puisque les seigneurs de la terre et du capital se servent de leurs privilèges politiques pour défendre et perpétuer leur monopole économique et asservir la force de travail, la conquête du pouvoir politique devient le grand devoir du prolétariat. »

**LA DÉFENSE DE LA COMMUNE**
La barricade de la rue Royale, dans
le VIII<sup>e</sup> arrondissement, illustrée par
une photographie (ci-dessus) et
par un tableau (ci-contre).

**LE TERRORISME**

Pendaison des terroristes anarchistes du groupe Volonté du peuple, responsable de l'assassinat du tsar Alexandre II, en 1881 (ci-contre).

**LA RÉPRESSION TSARISTE**

Perquisition dans une imprimerie clandestine de Khurkhov (en bas) où les groupes nihilistes réalisaient leurs tracts et journaux (1881).

## ANARCHISTES ET POPULISTES

Bien que l'histoire de l'Association internationale des travailleurs soit constellée de durs conflits entre ses différents courants et éléments, le comportement de ses membres a souvent procédé d'un brassage et d'un syncrétisme entre toutes les positions révolutionnaires présentes au sein du mouvement.

Il peut sembler contradictoire que Marx ait vu dans la Commune de Paris « la forme politique enfin découverte » de la révolution ouvrière, alors que, justement, la majorité des ouvriers parisiens se sont montrés favorables aux idées insurrectionnelles de Blanqui, lequel était depuis toujours en faveur de putschs opérés par des minorités actives et extraordinairement organisées. De même, les principes antiautoritaires et libertaires de l'anarchisme pourraient sembler contraires au *Catéchisme du révolutionnaire* rédigé par Bakounine, en collaboration avec le jeune Serguei Netchaïev ; les auteurs, fanatiques et ambigus, y soutiennent que le révolutionnaire est étranger aux lois de la morale courante, qu'il doit sacrifier ses sentiments et ses liens affectifs à la révolution, et qu'il doit même être prêt à tuer ou à bafouer l'honneur de ses propres compagnons de lutte. Le paradigme du « révolutionnaire », auquel les communistes de tous horizons et tendances essaieront de se conformer, se fonde sur l'exaltation de toute révolte, quelle qu'elle soit, et sur la conviction que c'est à une avant-garde – le parti politique de classe dont la résolution de l'Internationale parlait déjà après la Commune – qu'il revient de conduire le prolétariat à la victoire en lui faisant prendre conscience de sa condition et de ses droits.

En Russie, les adhérents à l'Internationale sont pour la plupart issus du populisme, mouvement radical né du

**L'IDÉE ANARCHISTE**
Mikhaïl Bakounine, figure majeure
de l'anarchisme international.

ferment social et intellectuel qui suivit la défaite de la révolution de 1848-1849, la mort de Nicolas Iᵉʳ et le désastre de la guerre de Crimée.

Les populistes considèrent que les paysans – soit 90 % de la population russe – symbolisent les vertus intactes de la morale naturelle. Leur organisation sociale, basée sur la commune rurale *(obscina)*, dont l'assemblée des chefs de famille *(mir)* redistribue régulièrement la terre, est vue comme la structure fondamentale de la future société. La lutte contre l'État – symbole de l'injustice et de la violence, de la brutalité et de l'inégalité – doit se faire à travers l'éducation révolutionnaire, ou bien par la conspiration et la violence. Après avoir essayé d'« aller vers le peuple », pour apprendre de ce dernier et le pousser à combattre l'autocratie tsariste, les étudiants populistes décident d'opter pour la stratégie terroriste, et d'allumer l'étincelle qui mettra le feu aux poudres. Définis comme « nihilistes », ces groupes connaissent leur plus grand succès – en fait, préambule de leur défaite – avec le meurtre du tsar Alexandre II, en 1881.

L'anarchisme, qui apparaît, au départ, comme l'aspect le plus égalitaire et le plus radical contre l'État du mouvement révolutionnaire, s'oppose au communisme de façon plus cohérente et durable : d'abord avec Proudhon, puis avec Bakounine, qui donnera au mouvement une caractérisation politique plus précise et une idéologie plus structurée. Fondées dans le monde entier par Bakounine, au cours d'une vie mouvementée marquée par les insurrections, les arrestations et les évasions, les sections de l'Alliance internationale de la démocratie socialiste adhèrent à l'Internationale, mais finissent par s'en détacher définitivement en 1872. C'est à cette occasion, au congrès de La Haye, que l'on décide

**LA BOMBE DE HAYMARKET**
Les cinq militants syndicalistes
accusés d'être les auteurs de
l'attentat perpétré le 4 mai 1886
à Haymarket Road (ci-contre),
où une bombe avait été lancée
contre la police (à gauche).
Ces violentes émeutes se sont
déroulées pendant une grève
contre l'intervention de la police
censée mettre fin à l'occupation
de l'usine McCormick Harvesting.
Depuis 1890, en souvenir de cet
épisode, le Iᵉʳ mai est la fête
internationale du travail.

**LE MOUVEMENT S'AMPLIFIE**
Manifeste commémorant le
congrès de Gotha (1875), où le
Parti des travailleurs, fondé par
Bebel et Liebknecht, et les
partisans de Ferdinand Lassalle
s'unirent pour donner lieu au Parti
ouvrier social-démocrate allemand.

**LE CONGRÈS D'AMSTERDAM**
Au congrès de 1904, au milieu et
au premier rang : Gueorgui
V. Plekhanov ; derrière lui, Rosa
Luxemburg et en haut, Victor Adler.

de transférer à New York le siège du Conseil général de l'Internationale, prélude de sa dissolution.

# LA IIᵉ INTERNATIONALE

En 1876, le congrès de Philadelphie décide de dissoudre l'Association internationale des travailleurs, après quatre années de survie précaire aux États-Unis. C'est ainsi que, dès la première moitié des années 1880, se formeront différents partis politiques et syndicats autonomes dans de nombreux pays européens.

Toutefois, une coordination demeure nécessaire entre ceux – partisans du marxisme – qui sont favorables à une forte centralisation et ceux qui défendent l'initiative et l'autonomie locales. L'exigence la plus ressentie est de rassembler toutes les forces disponibles pour obtenir une législation sociale défendant la classe ouvrière. La journée de travail limitée à huit heures est désormais le dénominateur commun entre les deux congrès internationaux qui, en 1889, constituent les prémices de la création d'une nouvelle Internationale. Ils se tiennent simultanément à Paris et regroupent, d'un côté les « marxistes », qui, à cette occasion, lancent une journée de lutte internationale pour le 1ᵉʳ mai, et de l'autre les « possibilistes », qui revendiquent la priorité et l'autonomie de l'action syndicale par rapport au Parti. Les deux assises accueillent des membres des courants anarchistes intéressés par la question de la grève générale et massive, et par l'action directe.

Au mois d'août 1891 se tient à Bruxelles le premier congrès unitaire, qui fondera la IIᵉ Internationale, même si, dans les actes, il apparaît comme le deuxième congrès de

**LA PRESSE MILITANTE**
Les revues russes *Social-Democrat* (1890) et *Rabocee Delo* (1899), publiées à Genève (page de gauche, au centre et à droite). *Rabotniceski Vestnik* (Messager ouvrier), 1909, organe du Parti ouvrier social-démocrate bulgare.

**UN MOT D'ORDRE EN EUROPE**
Étendard hollandais exaltant la journée de huit heures.

**VIVE LE 1ᵉʳ MAI**
Le triomphe du travail de Walter Crane, reproduit dans le numéro spécial du 1ᵉʳ Mai 1892 du *Arbeiter-Zeitung*.

l'organisation. Organe de coordination de tous les partis socialistes et des syndicats, la nouvelle Internationale se distingue plus pour ses débats et ses résolutions que pour son action commune et supranationale effective.

Le marxisme devient la doctrine officielle de l'organisation, mais les partis politiques créés dans les différents pays sont de plus en plus divisés. Les thèmes les plus controversés concernent l'utilisation du Parlement et la possibilité d'entrer dans des gouvernements aux côtés de partis bourgeois, les responsabilités du prolétariat vis-à-vis du colonialisme et, à partir du début du XXᵉ siècle, la question de la guerre.

À Stuttgart, en 1907, alors qu'un secrétariat permanent et un bureau de la direction comprenant deux délégués par section nationale fonctionnent pleinement, une résolution est approuvée, en vertu de laquelle, en cas de guerre, le prolétariat international doit se mobiliser pour la faire cesser ou la transformer en révolution. C'est la position exprimée par Lénine et Rosa Luxemburg et à laquelle se rallieront les tendances communistes présentes dans les partis socialistes lorsque la Première Guerre mondiale, déclarée en août 1914, aura rendu vains les engagements pris au congrès de Bâle (1912) de faire de l'Internationale socialiste une sorte de Parti mondial de la paix.

Mais la décision des socialistes allemands et français d'appuyer leurs gouvernements respectifs d'unité nationale dans la guerre enterre définitivement la IIᵉ Internationale, et libère les courants révolutionnaires qui ne veulent plus cohabiter avec les mouvements réformistes. La guerre déplace même géographiquement le centre de l'activité révolutionnaire, faisant de la Russie, où le radicalisme révolutionnaire s'était déjà organisé de façon autonome, la nouvelle référence de la révolution et du communisme.

# LA RÉVOLUTION
# BOLCHEVIQUE

L e communisme devait réussir à s'imposer dans les
régions les plus marquées par le développement du
capitalisme : c'était, du moins, ce que prévoyaient
et espéraient les dirigeants qui avaient fondé les organisations internationales de travailleurs. Mais les instincts
nationalistes qui ont accompagné la Première Guerre
mondiale ont prévalu sur la solidarité entre les ouvriers des
pays les plus industrialisés, l'Allemagne, la France et la
Grande-Bretagne.

Apparemment vaincu et enterré par le nationalisme, le communisme renaît – de façon presque inattendue – au cœur
d'une guerre que le socialisme de la II^e Internationale n'était
pas parvenu à empêcher.

### DEUX RÉVOLUTIONS ET LA VICTOIRE

Pages 22-23 :
Lénine, escorté par les autorités militaires, sur la place Rouge (1919).

Le peuple russe enchaîné. Dessin paru dans le journal l'*Âne* (juin 1906).

### SACRE IMPÉRIAL
Cérémonie de sacre du tsar Nicolas II (1868-1918), en 1896 (ci-contre).

### UNE SOCIÉTÉ RURALE

Images de la vie sociale en Russie (Crimée et Ukraine), entre la fin du XIXe et le début du XXe siècle (en bas).

## NAISSANCE ET AFFIRMATION DU BOLCHEVISME

Face à l'impuissance de la rhétorique révolutionnaire des maximalistes et au choix d'une collaboration de classe des réformistes – les deux âmes du socialisme international du début du XXe siècle –, le mouvement ouvrier voit naître en son sein un courant qui se réfère ouvertement au communisme et à la révolution, et qui propose de transformer la guerre en guerre civile.

Les courants communistes sont partout faibles et minoritaires – qu'il s'agisse de partis politiques autonomes ou de fractions des partis socialistes –, leur voix peine à se faire entendre, sauf en Russie où, justement pendant la guerre, s'amplifient le consensus et le radicalisme social. Ici, le communisme a pris le nom de bolchevisme et, bien qu'étant minoritaire sur le plan politique et organisationnel, il se révèle capable de prendre la tête du mouvement révolutionnaire qui secoue la Russie en 1917. Le communisme comme révolution s'exprime au cœur même d'un pays immense où l'économie capitaliste accuse un fort retard par rapport au reste de l'Europe, où 90 % de la population est rurale et où le pouvoir politique est entre les mains d'une autocratie absolue. Sur le plan théorique, cela semble quelque peu contradictoire, ou encore une erreur de l'Histoire. Pourtant, c'est l'amorce d'une expérience historique qui marquera le XXe siècle, le début de la véritable histoire du communisme.

En 1898, à Minsk, neuf socialistes marxistes fondent le Parti ouvrier social-démocrate russe. Ils n'imaginent certainement pas que vingt ans plus tard, le socialisme marxiste sera au pouvoir. En effet, les persécutions tsaristes rendent encore plus difficile toute activité – ne serait-ce que la simple propagande – de la nouvelle organisation.

**AUX ORIGINES
DU SOCIALISME RUSSE**
Les fondateurs de l'Union de lutte
pour la libération de la classe
ouvrière réunis à Saint-
Pétersbourg. Au centre, Lénine
et, assis à sa gauche, Martov
(à gauche).

**MOT D'ORDRE**
Bannière du Parti ouvrier social-
démocrate russe exaltant la
république démocratique et la
journée de travail de huit heures
(ci-contre).

Le IIe Congrès doit d'ailleurs se tenir à l'étranger, à Bruxelles et à Londres. On est en 1903. Moins de cinquante délégués – tous des réfugiés qui ont échappé à la prison ou à la relégation – y prennent part. Ce sera pourtant le véritable congrès de la fondation, et aussi de la division. C'est effectivement à cette occasion que se consomme la scission entre les bolcheviks (majoritaires) et les mencheviks (minoritaires), qui s'opposent, non pas sur le programme, mais sur les statuts du Parti et l'élection du groupe dirigeant. Lénine – en exil en Sibérie à l'époque du Ier Congrès et qui dirige, avec Plekhanov, le journal du Parti, *Iskra* (l'Étincelle) – prend la tête des bolcheviks.

Lénine veut un parti composé uniquement de militants, de révolutionnaires professionnels, disciplinés et obéissants. C'est ce qu'il avait exposé, l'année précédente, dans son petit livre *Que faire ?*, où le Parti est considéré comme un groupe de conspirateurs, sans la moindre vie privée et complètement voués à l'accomplissement des objectifs établis, une vision d'ailleurs propre aux populistes, qui, après la première moitié du XIXe siècle, avaient tenté de créer des foyers de révolution sociale dans les campagnes russes. Les mencheviks, en revanche, sont dirigés par Martov, qui considère que pour entrer dans le Parti, il suffit d'en accepter le programme et de le soutenir financièrement. L'idée d'une organisation trop rigide et de règles trop précises lui semble contradictoire avec la précarité et la faiblesse du mouvement révolutionnaire russe. Bien qu'ayant réussi à s'imposer sur Lénine dans le débat sur les statuts, il doit céder face à son rival (24 voix contre 20) pour l'élection du comité central et de la rédaction d'*Iskra*. Les tentatives de réconciliation échoueront également à l'Internationale socialiste. En 1905, le IIIe Congrès est organisé séparément : les bolcheviks vont à Londres, les

## « QUE FAIRE ? »

En 1902, Lénine écrit un petit ouvrage qui sera largement diffusé et restera une des références de la théorie léniniste sur le Parti et la révolution. Intitulé *Que faire ?*, ce livre reprend à la lettre celui du critique et écrivain Nikolaï Tchernychevski, une des grandes figures – avec Herzen, Belinski et Bakounine – du populisme russe. Lénine soutient l'idée d'un parti constitué uniquement de militants, de révolutionnaires professionnels engagés à respecter une discipline centralisée. Ce modèle d'une avant-garde très unie et complètement acquise à la cause, très hiérarchisée et capable d'agir dans la clandestinité, apparaît cohérent avec les conditions de lutte politique sous une autocratie comme celle des tsars. Mais après la victoire de la révolution, cela devient le modèle de référence pour tout le Parti communiste. *Que faire ?* était évidemment très lié à la situation spécifiquement russe, mais aussi, en réalité, à la tradition populiste et à une conception conspiratrice et minoritaire du processus révolutionnaire, à une vision disciplinée et religieuse du comportement des militants et de leur capacité à s'identifier totalement avec l'objectif de la lutte. La présence d'une formation comme le Parti bolchevique sera considérée comme un élément décisif de la victoire de l'avant-garde communiste pendant la révolution d'octobre. Mais, par suite d'une généralisation erronée, elle sera également vue comme la clé du succès de toute tentative révolutionnaire, aussi bien dans l'Europe bourgeoise et industrielle que dans la Chine rurale. On oubliera que pour Lénine, le Parti demeurait un outil de la révolution dont les contraintes organisationnelles devaient toutefois se plier aux exigences du succès de cette dernière.

**EN GUERRE CONTRE LE JAPON**
La foule massée sur la place Rouge prie pour les troupes russes engagées sur le front de Mandchourie (ci-contre).

**L'ÉCHO INTERNATIONAL DE LA DÉFAITE**
Couverture de l'hebdomadaire satirique l'*Âne* (janvier 1905), consacré à la guerre en Extrême-Orient, où le Japon se révèle capable – à la surprise générale – de battre la Russie (en bas).

mencheviks, à Vienne. C'est en 1906 que se tiendra ce que l'on a appelé le congrès « de l'unité », avec la majorité des délégués qui rejoignent les mencheviks. Mais au congrès suivant, à Londres, les bolcheviks s'imposent de nouveau – de peu – et reprennent la majorité. La formalisation définitive de la scission a lieu en 1912, au VIᵉ Congrès, quand les bolcheviks élisent leur propre comité central et prennent le nom de Parti ouvrier social-démocrate russe (bolchevique). Mais on est en pleine révolution : celle-ci a éclaté en 1905, alors que la guerre entre la Russie et le Japon faisait rage. Craignant une pénétration russe en Mandchourie et en Chine, le Japon attaque la flotte russe en février 1904, à Port-Arthur (Lushun), et lui porte un coup fatal. L'armée nipponne entre en Mandchourie, mais c'est la marine japonaise qui livrera la bataille décisive, à Tsushima, où la flotte russe arrive épuisée, après une longue navigation. L'empire tsariste est humilié : pour la première fois, une nation non européenne s'impose sur une puissance européenne.

## LA RÉVOLUTION DE 1905

Les défaites militaires infligées par le Japon sont un terreau favorable aux émeutes, grèves, manifestations et pétitions contre la cour.
Le 9 janvier, quelques jours après la reddition de Port-Arthur, l'armée tire contre plusieurs dizaines de milliers de manifestants – hommes, femmes et enfants – qui se dirigent vers le palais d'Hiver, brandissant des icônes et conduits par le pope Gueorgui Gapone, dirigeant d'un syndicat de la capitale. C'est ce que l'on a appelé le « Dimanche rouge », car le sang de centaines de morts et de milliers de blessés a coulé. C'est le début de la révolution. Entre janvier et octobre 1905, la protestation enfle et finit par concerner toutes les couches

## LA GUERRE RUSSO-JAPONAISE

La guerre qui éclate en 1904, avec l'attaque nipponne de la flotte russe à Port-Arthur, est le fruit de la politique expansionniste du Japon, du nationalisme russe croissant et des contrastes géopolitiques entre les puissances européennes. Les Anglais, qui redoutent une pénétration russe en Mandchourie et en Chine, poussent les Japonais – qui, en 1902, avaient signé une alliance avec le Royaume-Uni – à tester leur puissance militaire et à obtenir des puissances européennes un traitement d'égal à égal. Or, le tsar Nicolas II refuse de satisfaire le Japon, qui lui demande de retirer ses troupes de Mandchourie et de freiner le renforcement de sa flotte en Extrême-Orient. Les batailles décisives de cette guerre sont celles de Moukden et de Tsushima, où la flotte russe arrive de la Baltique, déjà épuisée par la longue navigation autour de l'Europe, de l'Afrique et de l'Asie. La supériorité stratégique et technologique des Japonais – ils utilisent des appareils radio-téléphoniques Marconi, plus performants que les Telefunken des Russes – explique la première grande victoire d'un pays non européen sur une puissance de l'Ancien Continent. L'empire tsariste est humilié et, en septembre 1905, il accepte le traité de Portsmouth, dans lequel, grâce à l'intervention américaine, les prétentions nipponnes ont été relativisées.

**LES ÉMEUTES**
Barricades à Moscou, rue Dolgorukovskaya, pour défendre le soviet de la ville (à gauche).

**LE « DIMANCHE ROUGE »**
Dessin paru dans une revue populaire, montrant l'assaut des cosaques contre les manifestants devant le palais d'Hiver (ci-contre).

**LE MANIFESTE DE NICOLAS II**
Des Russes lisent l'édit impérial d'octobre 1905 où le tsar promet plus de libertés et l'élection d'une Assemblée nationale.

sociales : les classes moyennes et les élites modérées qui demandent une constitution et un parlement libéral, les ouvriers et l'ensemble du peuple urbain qui se rassemblent – ce qui est nouveau – au sein d'organisations improvisées, les *soviets* (mot russe qui signifie « conseil »), et, enfin, les paysans, qui sont à l'origine d'émeutes et de jacqueries dans les campagnes. Les grèves se poursuivent, la cour est envahie de pétitions, les régions rurales se soulèvent, menant des actions violentes qui obligent les propriétaires à fuir leurs maisons incendiées. Le gouvernement se voit contraint d'envoyer les soldats conduire les trains, menaçant ceux qui rejoignent les grévistes d'exécution immédiate.

Les partis socialistes essaient de prendre la tête d'une révolution qu'ils n'ont ni préparée ni voulue, ni même prévue. Leur présence est importante, certes, pour alimenter les grèves et organiser les révoltes paysannes. Dans les cam-

pagnes, les socialistes-révolutionnaires prévalent, mais dans les villes, ce sont les bolcheviks et les mencheviks qui ont la majorité. À Saint-Pétersbourg, le soviet coordonne les revendications des ouvriers et mobilise la population. Lev Trotski est nommé à la présidence de cet organisme, destiné à vivre deux mois.

Inquiet de la tournure que prennent les événements, le tsar fait publier, le 17 octobre, un Manifeste dans lequel il promet la liberté de presse, de parole et de religion, ainsi que l'élection d'une assemblée (la Douma), chargée d'approuver les lois proposées par lui-même et son gouvernement, pour qu'elles soient exécutoires. Néanmoins, le gouvernement conserve toujours le contrôle absolu de l'armée. Les libéraux qui se fient moins au tsar et veulent des réformes plus incisives créent le Parti constitutionnel-démocrate (que l'on appellera les Cadets (en référence aux initiales russes K. D.), pour

# LES SOVIETS

Le soviet (« conseil ») est un organisme mi-syndical, mi-politique ; créés pendant la révolution de 1905, les soviets devaient représenter la masse des ouvriers, des soldats et des citoyens privés de droits politiques, et donc incapables de s'organiser. Dans une réalité historique caractérisée par l'autocratie, l'interdiction de fonder des partis et l'absence totale de démocratie, les formes de participation politique s'expriment d'une façon qui rappelle, mais en plus chaotique et spontanée, la démocratie directe. Le système des soviets possède une structure pyramidale : à la base se trouvent les comités d'usines, de quartiers, de régiments, lesquels

**« TOUS POUR LE SOVIET ! »**
Liton sur cette affiche de propagande (ci-dessus).

**LA BASE OUVRIÈRE ET LE PARTI**
Le secrétaire du Parti communiste de Moscou, Viatcheslav Molotov, parle aux ouvrières de l'usine Octobre rouge à l'occasion des élections du soviet de Moscou (février 1929) (en haut).

envoient des délégués au soviet de leur ville, puis de leur région et, enfin, au congrès panrusse des soviets, qui regroupait donc tous les soviets du pays. Bien que le soviet ait été l'expression du retard de la vie démocratique et politique de la Russie tsariste, il veut représenter tout le peuple, et pas seulement des avant-gardes politisées et organisées en partis. Toutefois, avec le temps, ce sont les partis qui vont avoir le plus d'influence et qui vont finir par contrôler la structure des soviets. Néanmoins, à l'époque de la mobilisation révolutionnaire – en 1905 et entre les mois de février et d'octobre 1917 –, le soviet a exprimé les poussées en faveur du changement, de la radicalisation et

des bouleversements politiques voulus par les masses. Entre la révolution de février et l'insurrection d'octobre, les délégués ont progressivement pris position en faveur des partis opposés à la guerre – les bolcheviks – ou qui semblaient garantir une réforme agraire dans les campagnes – les socialistes-révolutionnaires de gauche. Au niveau des conseils de base, l'anarchie et la démagogie parviennent généralement à s'imposer, à l'instar des positions extrémistes ou rhétoriques, bien que les délégués changent souvent. Quand on monte dans la hiérarchie des soviets, les représentants liés à des partis deviennent majoritaires et sont presque inamovibles dans les instances

centrales de l'organisation. En fait, tous les partis veulent instrumentaliser les soviets et soutiennent les plus forts et les plus actifs. Les bolcheviks, qui ont pourtant adopté comme mot d'ordre : « Tout le pouvoir aux soviets », ont vu en eux un bon outil pour mettre dos à dos une prétendue démocratie directe et la démocratie représentative des élections parlementaires. Ils se sont également servis d'eux pour légitimer les choix insurrectionnels opérés par leur parti. Une fois le pouvoir accaparé, les bolcheviks ont rapidement soumis les soviets à la volonté du Parti et en ont fait de simples organismes bureaucratiques chargés de la ratification formelle de décisions déjà prises en amont.

Le fastueux cortège funèbre
qui accompagne la dépouille de
Stolypine exprime le réformisme
– tardif et contradictoire – du tsar
(ci-contre).

**LES MARINS DE LA BALTIQUE**
Les marins du cuirassé *Potemkine*,
ceux-là mêmes qui feront éclater
la mutinerie de la flotte pendant la
révolution de 1905, sont réunis sur
le pont de leur bâtiment (en bas).

obtenir des élections libres et une Assemblée nationale. En revanche, les libéraux modérés appuient le Manifeste du tsar, créent le Parti d'octobre (les octobristes) et obtiennent la majorité des sièges dans la première Douma élue. Les partis socialistes, quant à eux, essaient de réorganiser la protestation. La grève générale promue par les soviets de Saint-Pétersbourg et de Moscou dure quelques jours seulement, mais elle est accompagnée par les mutineries des bases navales de Kronstadt et de Sébastopol, tandis que des révoltes paysannes se poursuivront jusqu'à la fin de l'année. Le gouvernement, dirigé par Serge Witte, peu aimé du tsar et de la cour, dissout le soviet de la capitale et en arrête les membres. La répression de la révolution sociale dans les campagnes est confiée à l'armée, qui s'appuie sur les pogroms organisés par les forces conservatrices. Les élections de la Douma, dont les compétences sont sérieusement réduites et qui finira même par être bâillonnée, témoignent d'une hostilité croissante à l'encontre du régime tsariste.

**LA RUSSIE EN GUERRE**
Affiche en faveur de l'emprunt de guerre lancé par le gouvernement tsariste. Rémunération promise : 5,5 % (ci-contre).

**UNIFORMES DE FAMILLE**
Nicolas II avec deux de ses filles : Olga, colonel des Hussards, et Tatiana, colonel des Ulans (à droite).

**UNE PRÉSENCE INQUIÉTANTE**
Raspoutine avec quelques aristocrates, à la veille de la guerre. À sa gauche, la dame d'honneur de la tsarine Alexandra (en bas).

## LA GUERRE MONDIALE

La politique répressive qui fait suite à la révolution de 1905 se mêle à une série de réformes, timides et contradictoires, que le tsar accepte sous la pression du chef du gouvernement, Petr Stolypine.

Partisan d'un élargissement de la propriété privée et du démantèlement des communautés de villages, afin de créer une classe de paysans aisés et indépendants, Stolypine est assassiné, en 1911, dans un attentat terroriste perpétré par les socialistes-révolutionnaires. Au nom du principe autocratique, le tsar s'oppose aux positions nationalistes des nobles et des couches populaires. S'ensuivent une attitude ambiguë pendant les guerres dans les Balkans, un renforcement purement numérique de l'armée que n'accompagne aucune modernisation, et un isolement croissant de la cour par rapport à l'ensemble de la société. Mais c'est la guerre qui marque la fin d'un régime incapable de se réformer, même si l'élan patriotique de 1914 semble en fait destiné à le renforcer. Les premiers mois de l'année ont vu, en effet, une intensification des grèves et des agitations sociales que la répression policière ne parvient pas à endiguer. L'enthousiasme nationaliste avec lequel les Russes accueillent la mobilisation générale – signée le 30 juillet par Nicolas II – et la déclaration de guerre à l'Allemagne qui fait suite à l'attaque de l'Autriche-Hongrie semblent préfigurer un nouveau rapport entre le tsar et son peuple. Malgré une première défaite immédiate contre les Allemands à Tannenberg, le 27 août (plus de 100 000 prisonniers), l'armée russe conquiert la moitié de la

**LES SOUFFRANCES DE LA GUERRE**
Blessés et bénis par le pope dans un hôpital sur le front russe (à gauche).

**ENTRE DEUX RÉVOLUTIONS**
Affiche exaltant la révolution de 1917, tout en rappelant celle de 1905 (ci-contre).

**COMBATS DE RUE**
À Saint-Pétersbourg, les manifestants s'enfuient sous les fusillades des troupes gouvernementales, en juillet 1917 (en bas).

Galicie, arrachée aux Autrichiens. Mais les munitions et le ravitaillement suffisent à peine pour trois mois. Au printemps 1915, une offensive des puissances centrales provoque quelque 150 000 morts du côté russe, 700 000 blessés et 800 000 prisonniers. À cela s'ajoute la perte de la Lituanie, de la Galicie et de la Pologne. En plein effort d'économie de guerre, les soulèvements et les grèves reprennent, tandis que le tsar, dont l'incapacité à gouverner est patente, prend personnellement le commandement des forces armées et obtient des résultats catastrophiques. L'influence croissante de la tsarine et de son protégé, le moine-guérisseur Raspoutine, aggrave l'hostilité de la cour et la crainte d'une paix séparée avec l'Allemagne. En 1916, en réaction aux critiques des partis modérés, Nicolas II supprime la Douma. Les oppositions, en désaccord sur l'appui ou sur l'hostilité à

la guerre, ne semblent pas en mesure de canaliser une protestation qui grandit chez les ouvriers, les paysans, et même dans l'armée. Tandis que la société apparaît, de plus, en proie à l'anarchie, une conspiration de l'aristocratie élimine Raspoutine, qui est tué le 31 décembre 1916. Le projet d'une révolte de palais pour forcer le tsar à abdiquer et à confier la régence à son frère le grand-duc Michel est devancé par la révolution qui éclate.

## LA RÉVOLUTION DE FÉVRIER

La décision d'imposer des tickets de rationnement est à l'origine des journées de protestation qui, à la fin du mois de février 1917, se transforment en insurrection et en révolution. La pénurie de pain et de biens de première nécessité fait exploser une situation que les défaites militaires, le

**LE FAIBLE GOUVERNEMENT PROVISOIRE**
Alexandre Kerenski, Premier ministre du gouvernement provisoire, dont la faiblesse est de plus en plus évidente, passe les troupes en revue, en octobre 1917, à quelques jours de l'insurrection bolchevique.

**CONTRE LA GUERRE**
Manifestation pacifique à Petrograd (mai 1917). Un orateur bolchevique demande la fin de la guerre, le partage de la terre et le renversement du gouvernement provisoire (page de droite, en haut).

comportement de la cour et les conditions de travail difficiles des ouvriers ont rendue de plus en plus incontrôlable. Pendant trois jours, des ouvriers, des femmes, des jeunes – de plus en plus nombreux – manifestent des faubourgs de la capitale jusqu'aux rues du centre, sans incidents majeurs. Le 26 février, après qu'un télégramme du tsar eut ordonné de faire cesser les désordres, la quatrième manifestation populaire contre le gouvernement fait 150 morts ; ce sont des officiers qui ont tiré sur la foule immobile, les soldats ayant refusé de le faire. Dans la nuit, plusieurs régiments se mutinent et vont fraterniser, le lendemain matin, avec la population en s'emparant des principaux édifices publics et en marchant à la conquête du palais d'Hiver. Au nom des députés de la Douma réunis en assemblée au palais de Tauride, Kerenski accueille les rebelles, tandis que dans une autre aile du palais, le soviet renaît grâce aux militants

mencheviks, auxquels s'ajoutent les socio-révolutionnaires et les bolcheviks. La violence spontanée de la foule et des soldats fait plus de 1 500 victimes en quelques jours, pour la plupart des fonctionnaires et des symboles du régime que les désastres d'une autocratie pusillanime et les souffrances de la guerre ont fini par balayer.

Le tsar abdique, mais le grand-duc Michel ne parvient pas à asseoir son autorité. Le pouvoir est maintenant partagé entre le comité temporaire de la Douma – où les forces libérales ont la majorité – et le comité exécutif du soviet, dominé par les partis socialistes. Guidé par le prince Lvov, le nouveau gouvernement est reconnu par les Alliés et décide une série de lois qui, pour la première fois, accordent des libertés (de presse, de rassemblement et d'association) aux Russes. Dans les campagnes, la violence des paysans contre les propriétaires nobles est ravivée par les soldats et les déserteurs ; dans les

## L'ASSEMBLÉE CONSTITUANTE

Depuis toujours en tête des revendications des partis d'opposition à l'autocratie tsariste, l'Assemblée constituante a été une des premières mesures du gouvernement provisoire après la révolution de février. Toutefois, la date des élections n'a pas été décidée avant la mi-juin (pour le 17 septembre), et en août, elle a été repoussée au 12 novembre. Les partis libéraux paraissent

s'intéresser davantage à l'élaboration de lois bien précises qu'à la tenue rapide d'élections qu'ils sont convaincus de perdre. Seul un gouvernement soutenu par les soviets semble en mesure de vraiment conduire le peuple aux urnes.
Lénine, bien qu'il soit convaincu de la supériorité de la démocratie « soviétique », ne peut repousser ou éviter les élections, qui s'ouvrent donc le 12 novembre et durent deux semaines (à cause de l'étendue du pays et des

difficultés de communication). Avec 16 millions de voix, les socialistes-révolutionnaires constituent le premier parti (38 %), même si les urnes ne permettent pas de faire la distinction entre ceux qui ont voté pour la gauche révolutionnaire ayant appuyé le putsch bolchevique et ceux qui ont choisi la droite, qui était contre. Les deux courants se sont probablement partagé le vote paysan. Le succès bolchevique dans les villes et dans le nord industriel du pays (10 millions de

voix, 24 % des suffrages) confirme que la majorité de l'électorat de Moscou et de Petrograd était bien favorable à la révolution, mais que le Parti manque de légitimité pour gouverner seul. Plutôt que de partager le pouvoir avec les autres partis socialistes (les mencheviks ont obtenu 3 %, les socialistes-révolutionnaires ukrainiens, 12 %, et les Cadets, 5 %), Lénine préfère étouffer la toute première véritable expression démocratique de l'histoire politique russe.

**CONTRE L'OPPRESSION**

En mai 1917, les chaînes qui maintenaient la Russie dans son ignorance avant la révolution sont symboliquement brisées. Ces vieilles chaînes étaient traditionnellement portées en procession pendant les enterrements (en bas, à gauche).

**LE LENDEMAIN**

En bas, à droite : les dirigeants bolcheviques Karl Radek (à gauche) et Grigori Zinoviev dans le bureau moscovite de ce dernier, juste après la prise du pouvoir.

villes – notamment à Saint-Pétersbourg et à Moscou –, les ouvriers se mettent en grève, avec des travailleurs de toutes les autres catégories professionnelles, et multiplient leurs revendications en s'organisant sur un modèle militaire. Le soviet est contre la poursuite de la guerre, relayant ainsi les aspirations du peuple. Le gouvernement provisoire – avec 6 ministres socialistes sur 16 – veut rester fidèle aux alliances stipulées et craint qu'une démobilisation rapide ne favorise les pressions révolutionnaires.

En juillet, le nouveau commandant en chef de l'armée, Lavr Kornilov, ordonne à ses troupes d'occuper la capitale et de désarmer la garnison militaire, considérée comme trop proche du soviet. Petrograd se mobilise pour défendre la révolution, et la défaite de Kornilov aggrave le conflit social et politique. Un gouvernement des soviets semble alors possible, mais les divergences entre les partis socialistes

quant à la poursuite de la guerre, la confiscation des terres, la réforme agraire et l'organisation du pouvoir sont trop fortes. Tandis que les socialistes-révolutionnaires et les mencheviks rompent avec le parti des Cadets, sans pouvoir imprimer à la révolution une dimension plus démocratique, réformiste et pacifique – ce dont elle aurait pourtant besoin –, les bolcheviks commencent à préparer l'insurrection ; Lénine les convainc de la nécessité et de la possibilité de s'emparer du pouvoir. L'hypothèse de Lev Kamenev, qui envisageait un gouvernement de coalition de tous les partis socialistes, est alors écartée. Le 10 octobre,

# LÉNINE

Formé dans les milieux révolutionnaires populistes, Vladimir Ilitch Oulianov, dit Lénine, adhère au marxisme vers la moitié des années 1890 (il est né en 1870), au contact des cercles ouvriers de Saint-Pétersbourg. Déporté en Sibérie en 1897 et exilé trois ans plus tard, il fonde, à Munich, le journal *Iskra* (l'Étincelle) où il commence à donner la parole aux différents courants du Parti ouvrier social-démocrate russe, fondé en 1898. Favorable à un parti d'avant-garde discipliné, constitué uniquement de militants révolutionnaires, Lénine prend la tête, en 1903, de la fraction bolchevique majoritaire au congrès de Bruxelles et de Londres. En 1907, au congrès de la IIe Internationale, il propose, avec Rosa Luxemburg, une résolution pour transformer une éventuelle guerre impérialiste en lutte contre le capitalisme.

Quand la Première Guerre mondiale éclate, il travaille d'arrache-pied, en Suisse, pour organiser les courants internationalistes internes aux divers partis socialistes européens, apportant ainsi une contribution fondamentale à la mise en place des conférences de Zimmerwald (1915) et de Kienthal (1916). Puis la révolution de février éclate, et Lénine rentre en Russie en avril 1917, parvenant à imposer au Parti – avec ses *Lettres de loin*, puis *Thèses d'avril* – la stratégie révolutionnaire qui conduira à la victoire d'octobre. Son rôle dans la révolution russe n'est pas seulement celui d'un leader compétent, d'un dirigeant influent et d'un chef très suivi et charismatique : c'est aussi grâce à sa grande ténacité, à ses capacités organisationnelles, à son habileté à tenir la direction – réduite mais querelleuse – des bolcheviks, que Lénine parvient à s'imposer dans les moments décisifs, même s'il est souvent en minorité. Ses décisions de mettre la révolution socialiste à l'ordre du jour, de lancer une

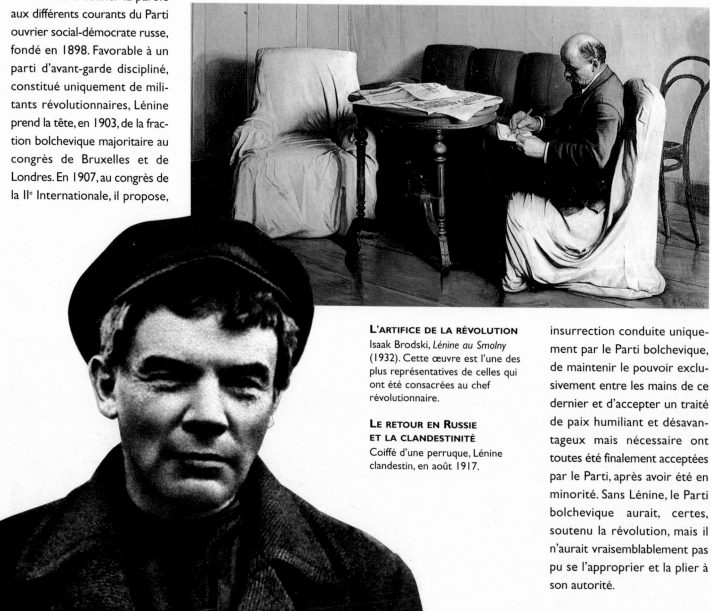

**L'ARTIFICE DE LA RÉVOLUTION**
Isaak Brodski, *Lénine au Smolny* (1932). Cette œuvre est l'une des plus représentatives de celles qui ont été consacrées au chef révolutionnaire.

**LE RETOUR EN RUSSIE ET LA CLANDESTINITÉ**
Coiffé d'une perruque, Lénine clandestin, en août 1917.

insurrection conduite uniquement par le Parti bolchevique, de maintenir le pouvoir exclusivement entre les mains de ce dernier et d'accepter un traité de paix humiliant et désavantageux mais nécessaire ont toutes été finalement acceptées par le Parti, après avoir été en minorité. Sans Lénine, le Parti bolchevique aurait, certes, soutenu la révolution, mais il n'aurait vraisemblablement pas pu se l'approprier et la plier à son autorité.

**UN BARRAGE DE L'ARMÉE**
De marins bolcheviques vérifient des papiers, près du Smolny (ci-contre).

**LA GARDE ROUGE AU POUVOIR**
Des soldats bolcheviques défilent dans les rues de Moscou, après s'être emparés du pouvoir, à la fin de l'année 1917 (en bas).

en présence de seulement 12 de ses membres, sur les 21 qu'il compte, le comité central du Parti bolchevique vote à la majorité pour l'insurrection : seuls votent contre Kamenev et Grigori Zinoviev qui, une semaine plus tard, font connaître leur position dans un article du quotidien *Novaja Zizn'*, dirigé par Maxime Gorki. La décision bolchevique dont on parlait déjà ouvertement dans les rangs du gouvernement et de l'armée est désormais du domaine public.

## LA RÉVOLUTION D'OCTOBRE

La seconde partie de la révolution commencée en février 1917 se déroule en octobre, c'est-à-dire le 7 novembre du calendrier julien, en vigueur dans toute la Russie tsariste et qui présente un retard de treize jours sur le calendrier grégorien. En réalité, c'est le 25 octobre que le Parti bolchevique prend le pouvoir, en pleine révolution anarchique et essentiel-

lement paysanne. Toutefois, dans les campagnes, c'est le Parti socialiste-révolutionnaire – héritier des populistes qui, à la fin du XIX<sup>e</sup> siècle, avaient essayé, d'abord par l'éducation, puis par le terrorisme, de donner un peu de conscience révolutionnaire à la paysannerie – qui s'impose. En revanche, les bolcheviks sont devenus majoritaires dans les grandes villes, surtout à Moscou, la capitale. C'est grâce à leur action cohérente et décidée contre la guerre, avec les soviets qui ont pris le pouvoir et le gouvernement provisoire qui a été supprimé, que les bolcheviks – alliés aux socialistes-révolutionnaires de gauche – ont obtenu la majorité dans les conseils et dans les comités d'usines, de quartiers, de garnisons et, pour finir, dans les soviets des villes. La plupart des habitants de Saint-Pétersbourg n'ont pas remarqué, le 26 au matin, que le cours de la révolution avait changé. Le socialiste démocrate-constitutionnel Nicolas Soukhanov, écrit : « Deux

**« CEUX QUI NE TRAVAILLENT PAS NE MANGENT PAS »**
Devise ornant une assiette de céramique (1921) à l'effigie de Lénine (ci-contre).

**LE CINÉMA**
Photogramme du film *Octobre*, de Sergueï Eisenstein (1927) (à droite).

**LA RECONSTRUCTION**
Reconstitution de l'assaut au palais d'Hiver, synonyme de la conquête du pouvoir par les bolcheviks (en bas).

ou trois heures plus tard, la capitale se réveilla, sans parvenir à comprendre qui étaient les nouveaux gouvernants. Dans le fond, les événements n'avaient pas été si spectaculaires que cela. Le calme et l'ordre régnaient partout, sauf sur la place du palais d'Hiver. L'"insurrection" avait démarré de façon assez modeste, et s'était conclue très vite, mais l'homme de la rue ne savait pas comment. L'épisode final du palais d'Hiver avait commencé en pleine nuit. » Le 25 octobre était la date prévue pour l'ouverture du II⁰ Congrès panrusse des soviets, que le comité central bolchevique et le comité révolutionnaire militaire (l'organisme qui, guidé par des bolcheviks et des socialistes-révolutionnaires de gauche, avait pris la garnison de la capitale le 21 octobre) attendaient pour lancer l'insurrection. Sous la pression de Lénine, qui voulait

une action immédiate, la Garde rouge prend la place des troupes gouvernementales et occupe tous les bâtiments publics. Le gouvernement provisoire est isolé et assiégé dans le palais d'Hiver ; le soir, après une salve du croiseur *Aurora*, commence l'assaut final, qui va se conclure par la reddition des régiments qui continuent à défendre le régime et par la démission des ministres, abandonnés par le Premier ministre Kerenski, lequel a pris la fuite quelques heures auparavant. Une heure plus tard s'ouvre le congrès des députés des soviets, pour se diviser aussitôt : les mencheviks et les socialistes-révolutionnaires les plus modérés quittent l'assemblée pour protester contre le putsch des bolcheviks ; les bolcheviks et les socialistes-révolutionnaires qui sont restés approuvent alors le Manifeste « aux ouvriers, aux soldats et aux paysans »,

**L'ENNEMI VAINCU**
Après l'assassinat de la famille impériale, des soldats bolcheviques observent la Rolls-Royce du tsar Nicolas II, équipée pour rouler sur la neige (à gauche).

**PEUR DU COMMUNISME**
Affiche électorale de la droite française (1919) contre le danger bolchevique (ci-contre).

**HOMMAGE AU COMMUNISME**
Affiche du film *Octobre*, pour le dixième anniversaire de la révolution (en-bas).

préparé par Lénine, ainsi que la formation du nouveau gouvernement des commissaires du peuple. Personne ne pense que les bolcheviks – seuls au pouvoir – réussiront à tenir plus de quelques jours ou quelques semaines. L'opposition tenace de Lénine et de Trotski à toute hypothèse de gouvernement de coalition avec les autres partis socialistes provoque des heurts, des grèves, des manifestations dans la rue et des tensions. Pendant ce temps, la révolution s'est imposée également à Moscou et dans de nombreuses autres villes. Les élections pour l'Assemblée constituante se tiennent régulièrement en décembre : la majorité des sièges va aux socialistes modérés, qui dominent les campagnes, la Sibérie et les régions centrales des Terres noires ; les bolcheviks détiennent la majorité dans les grandes villes,

dans les agglomérations ouvrières et dans les garnisons. L'Assemblée constituante siège le 5 janvier 1918. La majorité refuse de reconnaître le pouvoir des soviets, comme l'auraient voulu les bolcheviks et les socialistes-révolutionnaires de gauche. La garde militaire bolchevique la dissout alors par la force. Le IIIe Congrès panrusse des soviets ratifie la décision rapidement. Le pouvoir bolchevique se consolide, tout comme l'autorité et la force du Parti au sein des soviets. La révolution semble terminée. Et victorieuse.

## L'OCCIDENT ET LA RÉVOLUTION

La révolution de février avait été accueillie avec satisfaction et optimisme, parce qu'elle marquait l'entrée de la Russie dans le groupe des « démocraties ». Celle d'octobre, en

**LE FUTURISME RUSSE**
Affiche de l'exposition « 0,10 »,
organisée par Pouni, Malevitch et
Tatline, en décembre 1915, à
Petrograd, à la galerie de Nadejda
Dobytchina (ci-contre).

**LES FASTES DE L'ANNIVERSAIRE**
Dessins pour les décorations du
Kremlin et de la place Rouge, à
Moscou, en vue du 1er mai 1918.

**LA POINTE DE LA RÉVOLUTION**
Lazar Lissistzki a peint *Battre le blanc
avec la pointe rouge* pendant la guerre
civile de 1920 (en bas, à gauche).

revanche, divise immédiatement le monde occidental. D'un côté, les milieux politiques et militaires craignent le retrait de la Russie de l'alliance de guerre et le triomphe d'un parti antilibéral et subversif ; de l'autre, une grande partie des couches populaires voit la révolution comme la renaissance d'une nouvelle solidarité international, la fin de la guerre et des changements politiques radicaux. « Faire comme en Russie » devient un mot d'ordre dans les tranchées de toute l'Europe, mêlant les espoirs d'une paix immédiate et d'une rapide palingénésie sociale. Le mythe de la révolution prend tout de suite pied, mais peine à s'étendre et à se renforcer. D'une part, parce qu'il est associé à la « peur » de faire comme en Russie et de connaître un soulèvement anarchique et anti-

démocratique. D'autre part, parce que personne ne croit que le gouvernement bolchevique pourra tenir longtemps et accroître son pouvoir. C'est surtout au cours des mois suivants que cette dualité – espoir et crainte, renaissance et destruction, libération et esclavage – de la Russie soviétique commence à s'imposer ; phénomène alimenté par les nouvelles en provenance de ce pays lointain, par les articles de journaux, les récits de voyage d'écrivains, d'artistes et d'intellectuels, et aussi par l'émergence, ailleurs en Europe, de tensions et de conflits qui semblent préparer le terrain à une situation révolutionnaire. Le mythe de la révolution russe doit donc beaucoup à la réalité contradictoire et conflictuelle de l'Occident à la fin de la Première Guerre mondiale.

# ART ET RÉVOLUTION

Un lien profond existe entre la culture moderne et la révolution, qui donne tout son sens à un mot que l'une et l'autre utilisent : « avant-garde ». Ce n'est pas un hasard si les théorisations d'un parti d'avant-garde (avant tout, celui de Lénine) ou les débats sur le rôle des élites (Sorel, Mosca, Pareto et Weber) ont vu le jour en même temps que les avant-gardes artistiques (cubisme, futurisme, constructivisme et surréalisme) et se sont déroulés avec la même passion que celles-ci ont montrée dans leur refus de la tradition et dans leur lutte les unes contre les autres pour l'hégémonie. Au fur et à mesure que le siècle avance, les avant-gardes artistiques accueillent les hypothèses révolutionnaires et parfois même se lient directement aux avant-gardes politiques. Si, en Russie, les artistes d'avant-garde sont avec la révolution (de février), quelques-uns seulement suivront fidèlement les bolcheviks, alors que la majorité des intellectuels leur seront hostiles. Face à un poète comme Nikolaï Goumilev, fondateur de l'acméisme (un mouvement qui s'opposait au symbolisme et préconisait un retour intense à la réalité), fusillé en 1921, Alexandre Blok pensait que le rôle de l'artiste à l'époque de la révolution était « de faire en sorte que tout change ; que notre vie fausse, sale,

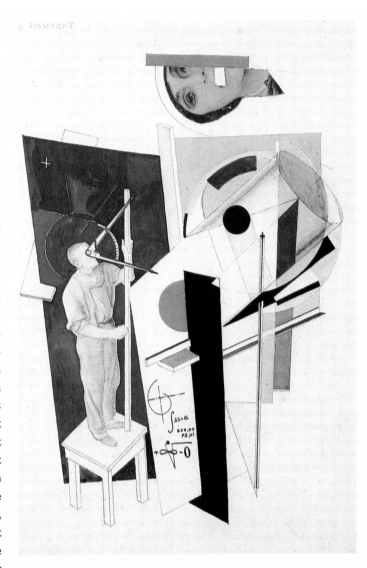

ennuyeuse, monstrueuse devienne juste, propre, joyeuse et merveilleuse ». Accusé de justifier les bolcheviques, bien qu'il ait été arrêté par la Tcheka après la révolution, Blok, le grand représentant du symbolisme, mourut en 1921, touché par la maladie, alors qu'Isaak Babel publiait les *Récits d'Odessa*, et Maïakovski son poème en vers *150 000 000* ; c'était trop tôt pour voir évoluer les rapports entre art et révolution. Le départ en exil de l'intelligentsia semble laisser la place aux avant-gardes, de plus en plus présentes dans la vie culturelle. Une fois bien en place, la révolution

demande aux artistes de faire de la propagande, et à la culture, de devenir un pilier du régime : elle leur impose d'être pédagogiques, de créer des mythes, des certitudes, de la rhétorique. Chantre de la révolution, Maïakovski se suicide en 1930, cinq ans après Essenine, le poète rebelle qui refusait la « vulgarité » et la « mesquinerie » du nouveau régime. L'esthétique de l'utilitarisme, géniale dans les œuvres des constructivistes (Tatline, Malevitch, Lazar Lissitzky), se soumet aux dogmes du réalisme socialiste et, à partir de 1934, devient la tendance officielle, après

avoir imposé pendant des années l'« appartenance [de l'art] au Parti ». Le modèle de narration est maintenant celui de Maxime Gorki, rentré d'exil en 1928, dont le réalisme héroïque et populaire fait de lui l'écrivain du régime. Les grands artistes et écrivains (Babel, Pilniak, Mandelstam, Meyerhold) trouveront la mort dans l'univers concentrationnaire soviétique. D'autres s'adapteront et feront des compromis avec le régime pour survivre : ils arrêteront de travailler ou travailleront moins, et plus prudemment. Ainsi de Boulgakov, de Boris Pasternak, mais aussi du cinéaste Sergueï Eisenstein, ce dernier s'accommodant du régime de Staline sans abandonner un travail de recherche artistique et sans renoncer à une profondeur d'expression qui font de lui un des artistes les plus connus et influents de la Russie postrévolutionnaire.

# L'INTERNATIONALE COMMUNISTE

O n identifie le communisme avec la révolution, non seulement parce que celle-ci s'est imposée en Russie grâce à une avant-garde politique qui semblait en être l'héritière tout en voulant le changer radicalement, mais aussi parce que, après la guerre, les courants communistes se sont réorganisés et ont trouvé dans les conflits sociaux de toute l'Europe le terreau dont ils avaient besoin pour s'enraciner et se nourrir.

Certes, ce sont encore des groupes minoritaires par rapport aux partis socialistes, mais ils sont actifs et dynamiques, et susceptibles – comme en Allemagne – de mobiliser une partie non négligeable de la classe ouvrière et de la société en général. Avec la victoire en Russie, la révolution et le communisme ont acquis une dimension mythique, une valeur symbolique ; ils sont devenus la référence à la fois émotionnelle – capable de canaliser les forces les plus jeunes et radicales de la protestation sociale – et idéologique, imposée par les communistes russes, les seuls à avoir fait une révolution avec succès.

**DE LA PLACE ROUGE**
Pages 40-41 : Lénine harangue la foule, en mai 1919. Dans les années trente, Kamenev et Trotski (à droite de la tribune), seront supprimés de la photo.

Affiche du 1er mai 1919 (à droite).

**UNE RÉVOLUTIONNAIRE**
Rosa Luxemburg, en 1903, reconnue comme théoricienne du mouvement socialiste (ci-contre).

## LA RÉVOLUTION EN ALLEMAGNE

Le mythe de la révolution, encore vivant même quand celle-ci n'est plus actuelle ni réalisable pour des raisons historiques, parvient toujours à fédérer autour du communisme international la plupart des courants qui veulent changer la vie politique en profondeur, qui rejettent complètement le capitalisme et qui se battent pour une transformation radicale de la société.

Les difficultés de la révolution en Europe s'expliquent, d'une part, par la modernité et la réalité sociopolitique très articulée de cette dernière, démentant une fois encore les prévisions théoriques déjà remises en cause par la révolution russe, et de l'autre, par ses transformations, dues à sa logique interne, aux choix de ses élites qui ont piloté la conquête du pouvoir et à certains conditionnements internationaux. En Allemagne, la fin de la guerre semble devoir déboucher sur la révolution. On a même l'impression que ce sont les premiers signes de révolution qui accélèrent la fin de la guerre. En octobre 1918, tandis que se poursuivent les négociations de paix entre le nouveau gouvernement du prince Max de Bade et les Alliés, les marins de la flotte se mutinent à Kiel, alors que les soldats et les ouvriers des conseils (les *räte*), créés sur le modèle des soviets russes, proclament la république en Bavière. Dès 1917, plus de 1,5 million d'ouvriers se mettent en grève, et autant croisent les bras en janvier 1918.

Les couches populaires qui, en août 1914, avaient accueilli favorablement le tournant nationaliste du parlement social-démocrate, notamment la décision de ce dernier de voter les crédits de guerre, réclament maintenant à cor et à cri la fin du conflit, l'éloignement de la monarchie et des Hohenzollern, et exigent l'institution de la république.

**VERS LE COMMUNISME**
Affiche électorale spartakiste au lendemain de la guerre (en haut, à droite).

**LE POUVOIR DANS LES VILLES**
Soldats allemands et civils alsaciens réunis à la mairie de Strasbourg, devenue le siège du soviet de la ville en novembre 1918 (ci-contre).

**LA TENTATIVE INSURRECTIONNELLE**
Des révolutionnaires spartakistes armés devant les écuries de l'empereur, à Berlin (janvier 1919) (ci-contre).

**SUR LA UNTER DEN LINDEN**
La dernière apparition de Karl Liebknecht (4 janvier 1919) à Berlin avant son assassinat (en bas, à gauche).

**L'EUROPE DES CONSEILS**
Les « conseils » d'ouvriers et de soldats en Allemagne, vers la fin de 1918 (en bas, à droite).

Parmi les dirigeants socialistes, les plus populaires sont ceux qui, dès le début du conflit, préconisaient le « défaitisme révolutionnaire ». Parmi eux, Karl Liebknecht, seul député à voter au Parlement, le 2 décembre 1914, contre les crédits de guerre (qu'il acceptera, en revanche, le 4 août, par discipline de parti), et Rosa Luxemburg, bien connue dans les milieux socialistes internationaux pour ses polémiques avec Lénine sur la conception d'un parti d'avant-garde comme « moteur » et guide de la révolution. Ensemble, ils fondent la ligue Spartakus, qui, avec d'autres petites organisations, crée le Parti communiste allemand, en décembre 1918. Entre-temps, la république avait triomphé dans le pays. Le 9 novembre, Berlin est entre les mains des ouvriers et des soldats insurgés, l'Empire se dissout et le premier Chancelier de la République est un socialiste-majoritaire (on appelait ainsi les sociaux-démocrates), Friedrich Ebert.

Le gouvernement se compose de six « commissaires » (autre référence à la tradition des conseils et des soviets), issus des rangs socialistes-majoritaires (SPD) et socialistes-indépendants (USPD). Ces derniers donnent d'ailleurs leur démission au moment où se forme le Parti communiste, car ils ne partagent pas le programme « limité » des majoritaires : la création d'une Assemblée constituante qui accorde le droit de vote aux femmes, la journée de travail de huit heures et la fin de la censure, et qui conduise progressivement le pays vers la démocratisation.

Socialistes-indépendants et communistes veulent, en revanche, la poursuite de la révolution et la remise du pouvoir aux *Räte*.

La guerre civile, qui, pensait-on, devait opposer les tenants de la république et les nostalgiques de l'Empire, met au contraire dos à dos les divers courants du socialisme : les

La situation en Allemagne en 1918

★ Villes où ont été constitués des conseils d'ouvriers et/ou de soldats.

# KPD (KOMMUNISTISCHE PARTEI DEUTSCHLANDS)

Dès sa formation, le Parti communiste allemand constitue la formation la plus importante du mouvement communiste international, après le Parti bolchevique. Créé à la fin janvier 1918 par des exposants de la Ligue Spartakus, sortis du Parti socialiste-indépendant, et par le groupe des Communistes internationaux d'Allemagne, son action est limitée, et ce essentiellement pour deux raisons : certains secteurs demeurent minoritaires et s'expriment contre le parlementarisme, et sa présence sur le territoire est trop faible – ce qu'il cherche, d'ailleurs, à compenser en radicalisant les tendances insurrectionnelles de certains courants internes. Après l'échec de la révolte de janvier 1919 et l'assassinat de ses principaux leaders et théoriciens (Rosa Luxemburg et Karl Liebknecht), le KPD est dirigé par Paul Levi, qui, au prix d'une scission, abandonne le sectarisme et les tendances d'extrême gauche. Au IIIᵉ Congrès, en février 1920, un groupe de membres du Parti décide d'adopter la stratégie des conseils et de l'insurrection et crée le KAPD (Kommunistische Arbeiterpartei Deutschlands – Parti communiste ouvrier allemand). Ces deux partis comptent chacun environ 40 000 inscrits, mais à partir de 1922, le KAPD s'affaiblit et éclate en groupuscules aux positions anarco-syndicalistes. La participation des communistes au combat contre le putsch de

Wolfgang Kapp (1920) marque la reprise d'une politique de masse du KPD qui, aux élections de juin 1920, obtient 2 % des voix avec 600 000 suffrages. En octobre, au congrès de l'USPD (le Parti socialiste-indépendant) de Halle, la majorité décide d'accepter les Vingt-et-Une-Conditions du Komintern et fusionne, en décembre, avec le KPD. Paul Levi et d'autres dirigeants favorables à l'unité d'action avec les socialistes sont obligés de donner leur démission, en février 1921, après avoir critiqué la scission de Livourne qui déboucha sur la

création du PCdI. En accord avec le Komintern, les dirigeants de la « gauche » imposent une ligne insurrectionnelle qui se matérialise par la vaine et sanglante « action de mars ». De mois en mois, plus de 100 000 militants quittent le Parti, dont la direction traverse une crise que seule l'intervention de l'Internationale communiste parviendra à maîtriser partiellement. En 1923, il connaît une autre crise, à la suite d'une nouvelle – et dernière – tentative insurrectionnelle. Toutefois, à partir de ce moment, l'influence électorale et sociale du KPD s'amplifie,

et se ramifie : 3 millions de personnes votent pour ce parti en 1924, 6 millions en 1932. La politique sectaire et isolationniste soutenue par le Komintern empêche quand même toute action commune aux côtés de la social-démocratie. À l'élection présidentielle de 1925, cette division favorise la victoire du maréchal Paul Hindenburg contre Wilhelm Marx, le Premier ministre prussien proposé par les gouvernements démocrates de Weimar. Cette même division facilitera la victoire de Hitler et sa conquête du pouvoir, en 1933.

**LES JEUNES (ET TRÈS JEUNES) POUR LE COMMUNISME**
Frontispice de la revue des jeunesses communistes *Die Junge Garde* (à gauche).

Affiche de l'organisation des jeunes du Parti contre la « guerre impérialiste » (ci-contre).

Congrès, à Berlin, de l'organisation des enfants communistes, pendant la République de Weimar (ci-dessous).

**LA RÉVOLUTION
RÉPRIMÉE DANS LE SANG**
Les Corps francs, à la veille
des violences qui mettront fin
à la tentative d'insurrection,
en janvier 1919 (ci-dessous
et ci-contre)

ouvriers et les couches populaires se retrouvent de part et d'autre des barricades érigées dans les rues de Berlin. Le gouvernement limoge le préfet de la capitale – un socialiste-indépendant –, ce qui provoque de violentes manifestations. Un comité révolutionnaire est alors mis en place, les locaux des journaux et certains bâtiments publics sont occupés, mais il apparaît vite évident que les communistes et les indépendants ne sont pas vraiment d'accord sur la façon de continuer la lutte.

Le 6 janvier, le Parti communiste et les conseils décident de se soulever et de renverser le gouvernement Ebert. Certes, le mythe de la révolution russe n'est pas étranger à ce choix, que Rosa Luxemburg, extrêmement lucide, juge prématuré et dangereux, sans se retirer pour autant de ce début de révolution. Un des socialistes-majoritaires, le ministre de la Défense, Gustav Noske, décide de réprimer l'insurrection, en accord avec les généraux de l'armée, et en utilisant les Corps francs *(Freikorps)*, groupes paramilitaires constitués de nationalistes et de soldats de retour du front bien décidés à rétablir l'ordre dans le pays.

C'est alors la tragique « semaine de sang » : Rosa Luxemburg et Karl Liebknecht sont arrêtés et assassinés dans la nuit du 14 au 15 janvier 1919. Quelques jours plus tard, les élections pour l'Assemblée constituante du 19 janvier font apparaître un nouvel équilibre. Les socialistes-majoritaires remportent plus de 11 millions de voix, soit 38 % des suffrages. Les indépendants, quant à eux, ne dépassent pas 8 %, et chez les communistes, l'abstention a prévalu.

**FAIRE LE MÉNAGE**
Caricature des années vingt :
Lénine – le balai à la main –
débarrasse le monde de ses
capitalistes et monarques
(ci-contre).

**À LA TÊTE DE LA RÉVOLUTION
MONDIALE**
Lénine, au Présidium du I$^{er}$ Congrès
de l'Internationale communiste, en
mars 1919 (en bas).

## LA III$^e$ INTERNATIONALE

Face à une social-démocratie internationale qui a donné son aval à la guerre et aux promesses internationalistes – jamais tenues – de l'arrêter, de petits groupes minoritaires, au sein de certains partis socialistes, s'activent pour tenter de refonder la II$^e$ Internationale, désormais morte.

Les socialistes opposés à la guerre et qui rejettent l'option patriotique de défense des gouvernements engagés dans le conflit se retrouvent à l'occasion de deux conférences : la première se tient en septembre 1915, à Zimmerwald, et la seconde en avril 1916, à Kienthal.

Parmi ces hommes guidés par Lénine, une minorité est aussi convaincue de la nécessité de transformer la guerre entre États en guerre de classes et de créer une nouvelle organi-sation internationale des travailleurs. Au lendemain de la révolution d'octobre, prélude – d'après Lénine – de la révolution qui devait éclater dans toute l'Europe, ce projet est tout à fait d'actualité. Aux yeux des chefs bolcheviques, une nouvelle Internationale allait permettre de rassembler les courants révolutionnaires éparpillés et favoriser dans le monde entier la formation de partis communistes, une mesure jugée indispensable à la victoire même de la révolution.

En mars 1919, sur l'invitation de Lénine, des représentants de nombreux partis socialistes et des quelques partis communistes déjà constitués se retrouvent à Moscou où, profitant de la vague d'enthousiasme dont font l'objet les courants révolutionnaires dans presque toute l'Europe, les bolcheviques parviennent à imposer de fait la fondation

**L'OFFENSIVE SYNDICALE**
Le syndicaliste anglais John Wheatly s'adresse à la foule pendant le meeting du 1er mai 1919 (à gauche).

**TÉMOIGNAGE DE TRADITION**
Une bannière du syndicat anglais de cheminots (1919) (ci-contre)

**RUSSES ET AMÉRICAINS**
Quelques délégués syndicaux américains et russes pendant le congrès de l'Internationale communiste (en bas).

de l'Internationale communiste. Près d'un an plus tard, à l'été 1920, le Komintern (mot russe qui signifie « Internationale ») présente son programme au IIe Congrès et adopte les Vingt-et-Une-Conditions élaborées par Lénine pour définir les partis susceptibles d'être admis dans la nouvelle organisation : la plus importante est la rupture nette avec la social-démocratie et la formation de partis communistes autonomes, même petits.

La nouvelle Internationale se forme donc autour des hypothèses et des choix des bolcheviques, qui profitent du prestige de la révolution victorieuse en Russie pour en prendre la direction et le contrôle absolu. Bien que les poussées révolutionnaires soient déjà en déclin à l'été 1920, la possibilité d'insurrection est jugée réaliste, et l'on est convaincu que la radicalisation des masses ne pourra reprendre que là où il y a un parti d'avant-garde organisé et discipliné sur lequel asseoir un espoir de conquête du pouvoir. Presque partout, les partis communistes naissent à la suite de scissions de minorités des partis existants, ce qui entraîne la perte des liens avec les masses – fruit d'années de travail et de lutte – et la division du mouvement ouvrier, dont les oppositions idéologiques sont de plus en plus évidentes. La France et la Tchécoslovaquie sont les deux seuls pays où les communistes sont majoritaires au moment de la scission. En revanche, en Italie – tout comme en Grande-Bretagne, en Suisse, en Espagne, en Autriche, en Belgique, en Hollande et au Danemark –, le Parti communiste est nettement minoritaire ; sa scission sera critiquée

**LA RÉVOLUTION
DANS LE MONDE**
Congrès des communistes de
Mongolie à Moscou (mars 1922). À la
tribune, le président du Komintern,
Grigori Zinoviev (ci-contre).

**L'OCCUPATION
DES USINES ITALIENNES**
Reproduction de la médaille
commémorant l'occupation des
usines par les membres du syndicat
des métallurgistes, publiée dans
*Avanti* à la fin de l'année 1920
(en bas).

également par une partie des communistes allemands, dont l'influence augmente, mais sans jamais réussir toutefois à attirer la majorité des socialistes-indépendants. En 1921, à l'occasion du IIIᵉ Congrès du Komintern, Lénine, avec sa fermeté habituelle, parvient à imposer un nouveau tournant, car il est convaincu que la phase aiguë de la révolution a vécu et qu'un repli conservateur est en cours.

L'argument pour convaincre les tout nouveaux partis communistes que la révolution n'est plus l'objectif immédiat est essentiellement d'ordre disciplinaire et organisationnel, renforcé également par le prestige des seuls révolutionnaires au pouvoir dans le monde. Comme cela s'est produit en Russie, cette nouvelle tendance à la modération est accompagnée par un durcissement bureaucratique et une limitation progressive, mais évidente, des possibilités de débat et de dissidence.

## LA RÉVOLUTION EN EUROPE

Tous les dirigeants communistes, y compris les bolcheviques, voient dans l'Allemagne le pays clé de la victoire de la révolution. La défaite sanglante de la tentative insurrectionnelle de janvier 1919 ne semble pas compromettre la confiance dans la perspective révolutionnaire de ce pays.

Les conseils, répandus désormais dans tout le pays, ont proclamé la république en Bavière et se sont emparés du pouvoir à Hambourg. À la tête du gouvernement bavarois, Kurt Eisner tente de concilier les courants légalistes des socialistes-majoritaires et ceux – plus révolutionnaires – des communistes et des membres des conseils, avant d'être assassiné, le 21 février, à la veille des élections du nouveau parlement de Bavière.

Une insurrection éclate alors à Munich et à Nuremberg, qui donne naissance, en avril, à une « République des Conseils ».

## LES DEUX ANNÉES ROUGES

À la fin de la Première Guerre mondiale, l'Italie traverse une grave crise économique et sociale, ponctuée d'émeutes, de grèves et de jacqueries. La crise des forces libérales est compensée par les succès du Parti socialiste et du Parti populaire, né en 1919, mais avec les *Fasci di combattimento* (Faisceaux italiens de combat), la radicalisation et la mobilisation de la droite et des nationalistes s'accentuent. Entre 1919 et 1920, les agitations syndicales, les manifestations et les grèves mêlent revendications économiques et politiques. Si le mythe de la révolution russe imprègne les couches prolétaires, l'aventure des troupes de Fiume et le mécontentement des soldats revenus du front favorisent la mobilisation nationaliste et contre l'État. Le régime parlementaire est identifié avec la politique libérale et la critique de la « fausse » démocratie remporte un franc succès. En septembre

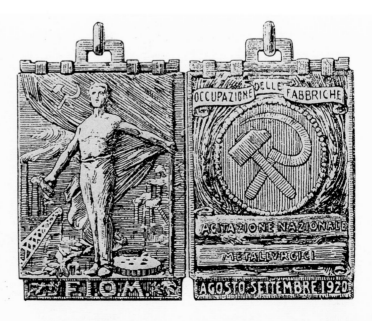

**IGNORANT LE DANGER**
Ce dessin, paru en 1920 dans un journal allemand, montre l'Allemagne qui dort, tandis que des manifestants défilent dans la rue et encensent la IIIe Internationale (à gauche).

**AU-DELÀ DE LA FRONTIÈRE**
Le chef de la révolution hongroise et de la « République des Conseils », Béla Kun (à droite), lors d'une réunion de l'Internationale (1922) (ci-contre).

Celle-ci ne survivra pas longtemps : en mai, l'armée de la République de Weimar (la ville où se réunit, le 6 février, l'Assemblée constituante de la République d'Allemagne) reprend Munich, avec l'aide des *Freikorps*. Aux centaines de morts tombés pendant la bataille s'ajoutent les victimes d'exécutions sommaires et d'une sanglante répression.

La conviction, confirmée pendant les deux premiers congrès du Komintern, que l'on est en présence d'une situation révolutionnaire généralisée semble d'ailleurs se renforcer avec la fondation d'une autre « République des Conseils », en Hongrie. Le 22 mars, les communistes s'emparent du pouvoir et instaurent un climat de terreur contre toute opposition politique, devançant de peu la République socialiste bavaroise et la tentative de faire de Vienne une autre capitale de la révolution. Mais cette insurrection, commencée le 18 avril, est immédiatement matée.

L'espoir d'une continuité territoriale entre villes « rouges » – Budapest, Vienne et Munich, rempart de la révolution –, en attendant l'arrivée de l'Armée rouge de l'Est, se solde en fait par une amère et sanglante déception.

Après la défaite de la république bavaroise vient celle de la république hongroise. Les hommes de Béla Kun, leader du gouvernement communiste, pénètrent les territoires magyars de Roumanie, de la même manière qu'ils l'avaient fait, en juin, en Slovaquie. Les Roumains contre-attaquent et, en quelques jours, entrent à Budapest et obligent Béla Kun à démissionner, ouvrant ainsi la porte à la « terreur blanche » de l'amiral Miklos Horthy, qui, quelques mois plus tard, se chargera d'éliminer toute présence communiste de Hongrie.

Entre-temps, en Allemagne, une tentative de coup d'État est organisée, en mars, par plusieurs secteurs de l'armée,

1919, des comités d'usines voient le jour dans de nombreuses entreprises turinoises : il s'agit de cellules de gestion autonome par les ouvriers. Le groupe socialiste d'Ordine Nuovo, mené par Gramsci, se fait le porte-parole de tous ces organismes de lutte. La protestation des ouvriers et des journaliers, très répandue dans tout le nord du pays, culmine avec l'occupation des usines de Turin, de Milan et d'ailleurs. Les conseils gèrent la production, tandis que des ouvriers armés

contrôlent les ateliers. Le Parti socialiste et les syndicats craignent que l'aventure révolutionnaire ne soit difficile à maîtriser et n'échoue. La médiation du Président du Conseil, Giovanni Giolitti – qui refuse de faire intervenir l'armée –, est alors décisive. Les ouvriers obtiennent des augmentations de salaire et de meilleures conditions de travail, mais les résultats politiques sont moins brillants. Effrayée, la bourgeoisie se tourne vers le fascisme, dont les violences contre les partis

et les organisations syndicales socialistes se multiplient.

**LE PIQUET DE GRÈVE ARMÉ**
Un groupe de « gardes rouges » dans une usine occupée, à Turin (septembre 1920).

**COMMISSAIRE AUX AFFAIRES ÉTRANGÈRES**
Arrivée de Trotski (au centre, en noir) à la Conférence de paix de Brest-Litovsk, accompagné par la délégation russe (janvier 1918) ; à sa gauche, on reconnaît Kamenev et Joffe (ci-contre).

**FONDATEUR DE L'ARMÉE ROUGE**
Trotski s'adresse aux soldats fraîchement recrutés pendant la guerre civile (1919) (en bas).

de la police et des anciennes classes dirigeantes impériales. Le conservateur Wolfgang Kapp, qui a pris la tête du mouvement, s'enfuit de Berlin après une grève générale et une mutinerie des troupes, qui refusent de combattre contre les soldats fidèles au gouvernement.

Un an plus tard, une nouvelle révolte – appelée « l'action de mars » – est organisée en Allemagne centrale par les deux partis communistes (la scission s'est faite en 1920), qui veulent contrôler les franges les plus radicales de la classe ouvrière. La grève générale et l'insurrection qui s'ensuivent échouent, entraînant l'arrestation de centaines de militants et l'effondrement des effectifs des organisations communistes.

La courte saison des « Républiques des Conseils » a montré, à l'instar des vicissitudes allemandes, que le communisme était resté très minoritaire en Europe centrale et que, malgré la désagrégation causée par la guerre, le poids et le comportement des forces sociales, de même que la capacité de résistance des institutions et des classes conservatrices, ont réussi à endiguer les mouvements révolutionnaires.

L'absence d'un parti révolutionnaire n'est donc pas – comme pensaient Lénine, les bolcheviques et tous ceux qui ont fondé des partis communistes entre 1919 et 1921 – la raison de l'échec de la révolution.

# TROTSKI

Déporté en Sibérie, à l'âge de 20 ans, à cause de son opposition active au tsarisme, Trotski (Lev Davidovitch Bronstein) prend position aux côtés des mencheviks au congrès de 1903 et critique Lénine et sa conception autoritaire du Parti. Il forme alors un groupe pour la réunification des deux courants du Parti social-démocrate russe. Nommé président du Soviet de Saint-Pétersbourg pendant la révolution de 1905, il est de nouveau déporté en Sibérie, d'où il s'évade. Revenu en Russie après la révolution de février 1917, il entre au Parti bolchevique, devenant un des principaux acteurs de l'organisation de la révolution d'octobre, puis dans le gouvernement bolchevique. En seconde position, derrière Lénine, grâce à sa popularité et à son charisme, il est considéré comme l'orateur le plus brillant et le plus compétent de la révolution et dirige les négociations qui débouchent sur le traité de Brest-Litovsk, acceptant – mais pas d'emblée – les positions « réalistes » de Lénine. Il organise l'Armée rouge sur la base de critères d'efficacité et la conduit à gagner contre les troupes blanches, nombreuses et divisées. C'est à cette époque que Trotski envisage une militarisation de toute la société, et surtout des travailleurs : il défend une industrialisation rapide et l'autorité nécessaire pour diriger les Russes vers la reconstruction. Son individualisme et son sentiment de supériorité l'opposent à de nombreux bolcheviks, même si Lénine le considère comme un allié fiable quand il faut imposer au Parti des choix que ne partage pas la majorité. Avec la mort de Lénine, il se heurte ouvertement à Staline, préconisant la théorie de la « révolution permanente » contre l'hypothèse, de plus en plus forte au sein de la majorité du Parti bolchevique, de la construction du « socialisme dans un seul pays ». Battu, marginalisé, exilé, Trotski continue sa lutte théorique et politique et s'engage dans la construction d'une nouvelle Internationale (la petite et insignifiante IVe Internationale) ; en 1940, il est assassiné, au Mexique, par un homme de la police soviétique envoyé par Staline.

**EN COMPAGNIE DE SA FEMME**
Exilé depuis peu (on est en 1932), Trotski va à Copenhague pour faire une conférence à l'université (ci-dessus).

Arrivée de Trotski à Tampico, au Mexique, en 1937. À ses côtés, son épouse (au centre), Frida Kahlo et le dirigeant du Parti communiste américain, Max Schachtman (ci-contre).

**LE MYTHE DU LEADER VICTORIEUX**
Trotski est représenté, pendant la révolution, sous les traits d'un chevalier tuant un dragon (ci-dessus).

**LA GUERRE CIVILE**
Accompagné par ses cosaques, le prince Vorontsov-Dackov, vice-roi du Caucase, visite les ruines de la ville industrielle de Balakhmy (ci-contre).

**LA TERREUR ROUGE**
Le procès des membres du Parti socialiste-révolutionnaire, principal victime de la répression de la Tcheka. Debout, à gauche, un des principaux leaders du Parti, V. Savinkov (en bas).

## LA GUERRE CIVILE EN RUSSIE

En 1918, la dissolution de l'Assemblée constituante (5 janvier) et la signature du traité de Brest-Litovsk (3 mars) – en vertu duquel la Russie perd un tiers de son territoire européen, un quart de sa population et plus de la moitié de sa capacité industrielle – préparent le terrain à la guerre civile russe.

Les premiers à organiser une opposition armée au pouvoir bolchevique sont les cosaques du Don : leur *ataman*, le général Krasnov, obtient des Allemands qui ont occupé l'Ukraine des armes pour la première armée « blanche ».

En mai, les soldats tchèques et slovaques qui se sont rendus pendant la guerre et qui se dirigent vers Vladivostok refusent de remettre leurs armes aux soviets locaux et prennent le contrôle de nombreuses villes (Tomsk, Omsk, Samara et Iekaterinbourg) le long du Transsibérien. Un comité de députés de l'Assemblée constituante dissoute se réunit à Samara et forme, en septembre 1918, un gouvernement provisoire, à Oufa, avec des socialistes-révolutionnaires, des mencheviks, des membres du parti Cadet et des généraux. En novembre, le coup d'État du général Koltchak met fin à la première phase de la guerre civile et inaugure le conflit ouvert entre les généraux « blancs » et l'Armée rouge que Trotski a organisée rapidement avec les avant-gardes ouvrières, des volontaires recrutés par les syndicats et une conscription obligatoire pour les officiers de carrière.

La « terreur rouge » est maintenant en place : en juillet 1918, la tentative de coup d'État socialiste-révolutionnaire entraîne l'abolition de tout parti, ou opposition, légal, la Tcheka – une police spéciale – devient le bras de la politique répressive du nouveau régime, exécutant meurtres et arrestations sommaires. La société russe est militarisée, l'Armée rouge devient le principal producteur (les entreprises militaires

## LA TCHEKA

La Commission extraordinaire panrusse pour combattre la contre-révolution et le sabotage (les initiales, en russe, ont donné le mot « Tcheka », un nom devenu célèbre) est créée en décembre 1917, un peu plus d'un mois après la prise du pouvoir par les bolcheviks. Constituée initialement de militants de la plus grande loyauté, capables, au nom de leur fidélité au Parti, de commettre des violences et des actions jugées moralement inadmissibles, la Tcheka – dirigée par le bolchevik d'origine polonaise Felix Dzerjinski – deviendra vite une institution de privilégiés et d'ambitieux, pour la plupart des socialistes-révolutionnaires. Les pouvoirs de cette police politique sont énormes : elle peut arrêter, fouiller, tuer ou jeter en prison sur la base d'un simple soupçon et sans aucun jugement d'un tribunal. Comprenant 1 000 personnes en 1918, ses effectifs atteignent 37 000 unités en janvier 1919 et

220 000 en mars 1921. En avril 1918, la Tcheka affronte militairement les anarchistes : plusieurs dizaines sont tués et plusieurs centaines, arrêtés. Au mois d'août, après l'échec du coup d'État des socialistes-révolutionnaires, pendant lequel Lénine est gravement blessé, elle devient le bras de la « terreur rouge » : aux centaines d'exécutions sommaires décidées sur la base de simples

La guerre civile en Russie

emploient un tiers des travailleurs) et le principal consommateur du pays (la moitié de certaines denrées alimentaires, du textile et des chaussures va à l'armée). La discipline militaire devient le modèle du travail en usine.

Dans le domaine économique sont prises des mesures extraordinaires qui reflètent une centralisation et une étatisation fortes. C'est le « communisme de guerre », qui nationalise une grande partie des entreprises, s'assure le monopole du commerce et de la distribution, et réquisitionne brutalement les céréales. Le marché noir, l'illégalité et les violences se multiplient partout. En 1919, les bolcheviques gagnent la guerre civile, grâce à une armée de plus en plus nombreuse et performante, et à l'appui – certes, passif et arraché de force – des paysans, qui voient dans l'Armée blanche la menace d'un retour aux conditions de vie de l'époque tsariste. Les offensives mal coordonnées du général Koltchak, entre l'Oural et la Volga, celles de Denikine vers Moscou, sur un front trop vaste, et du général Ioudenitch, en provenance des pays Baltes, ont échoué devant la résistance acharnée de l'Armée rouge, qui passe vite à la contre-offensive. Les contingents étrangers (français, anglais, américains et japonais) quittent le pays et les troupes blanches se désintègrent ou se réduisent à quelques milliers d'hommes, à la suite des erreurs stratégiques de généraux qui, par une politique aristocratique et impériale de restauration de la monarchie, n'ont fait que raviver l'opposition des paysans, des minorités nationales et des partis socialistes et libéraux. De leur côté, les bolcheviques soutiennent la capacité militaire croissante du pays à travers une mobilisation générale de la population : la propagande, l'éducation, l'endoctrinement et la création de nouveaux symboles promettent de sauvegarder le territoire de la patrie et de poursuivre les objectifs sociaux de la révolution.

suspicions d'appartenance à l'opposition politique s'ajoute la création des camps de travail mis en place systématiquement à partir d'avril 1919. Au début de 1922, après les répressions et avec la nouvelle situation causée par la NEP (Nouvelle politique économique), la Tcheka est dissoute et ses fonctions de police politique sont transférées à la Guépéou (GPU, Direction politique de l'État), un organisme qui dépend du Commissariat du peuple aux Affaires intérieures (le NKVD).

**LA DÉFENSE DE LA RÉVOLUTION**
Affiches pour le 1er mai 1920, alors que le pays est encore en pleine guerre civile (ci-contre et à droite).

## 1921 : VICTOIRE DU COMMUNISME, DÉFAITE DE LA RÉVOLUTION

En réalité, les conflits militaires se sont poursuivis en 1920. En Crimée contre les troupes éparpillées du baron Wrangel, en Ukraine contre celles de la Pologne, qui voulait reprendre les territoires qui lui appartenaient au XVIIIᵉ siècle. L'avancée des troupes polonaises, qui occupent Kiev au début mai, se termine un mois plus tard, grâce à la mobilisation générale. La contre-offensive de l'Armée rouge progresse rapidement et, sur une suggestion de Lénine – convaincu de l'imminente insurrection des ouvriers polonais et d'une relance possible de celle des Allemands –, pénètre en Pologne et se dirige vers Varsovie.

Trotski avait raison de craindre une forte cohésion nationaliste autour de Pilsudski – le Premier ministre polonais –, qui allait ainsi renforcer son régime autoritaire. En quelques semaines, l'Armée rouge est obligée de reculer et d'abandonner la Pologne, pour se concentrer davantage sur les troupes de Wrangel, définitivement défait en novembre 1920. La guerre civile est vraiment terminée et le pouvoir soviétique peut se consacrer à la reconstruction économique et politique du pays. Entre la fin de 1920 et le début de 1921, des jacqueries et des grèves ouvrières se multiplient contre la politique de réquisition et de militarisation du travail. Ce décalage entre le gouvernement et la société culmine avec la révolte de

**LA DÉFAITE DE KRONSTADT**
Les marins défilent en lançant des slogans à la gloire des soviets et de la liberté. Le 5 mars 1921, une proclamation de Trotski, lâchée d'un avion sur les insurgés, accompagnera la répression des marins de la base navale, autrefois « berceau de la révolution ».

**LA RENAISSANCE DE L'INDUSTRIE**
Des ouvriers devant une foreuse, dans une usine du bassin du Don (à gauche).

**LES GISEMENTS MIS EN VALEUR**
Des gisements de pétrole dans la région de Bakou (ci-contre).

**PROPAGANDE ET ÉDUCATION DU PEUPLE**
Les passagers d'un train regardent un film de propagande (1921) (en bas).

Kronstadt, la base navale qui joua un rôle de premier plan pendant la révolution et qui demande maintenant la restauration de la démocratie des soviets, la fin du centralisme économique, l'abolition de la dictature bolchevique et la liberté pour tous les partis socialistes. Tandis que se déroule le Xᵉ Congrès du Parti bolchevique, les marins de Kronstadt font l'objet d'une brutale répression, ordonnée par Lénine et Trotski, lesquels révèlent ainsi inutilement au monde entier le bien-fondé des accusations que leur adressent les insurgés. Le Xᵉ Congrès – pendant lequel sont abolis tous les courants et fractions au sein du Parti bolchevique, ce qui met fin à toute dialectique interne – décide également de lancer la

Nouvelle politique économique (NEP). Le pouvoir va au-devant des désirs du monde rural en rétablissant partiellement le marché libre : après avoir versé une taxe préétablie à l'État, les paysans peuvent vendre leur production. Une moitié du commerce revient donc au secteur privé, ainsi que de nombreuses entreprises productrices de biens de consommation. La relance économique d'un pays ravagé par une guerre mondiale et une guerre civile ne peut évidemment pas se faire contre la majorité de la population, donc contre les paysans. Toutefois, à la privatisation modérée de certains secteurs de l'économie correspond une fermeture définitive de tout espace de démocratie et une énorme limitation de la

### LE PARTI S'IMPOSE
Un commissaire bolchevique, accompagné de gardes rouges, arrive dans un village russe pour faire appliquer les directives du gouvernement soviétique (ci-contre).

### VERS L'ORIENT
Un jeune vante les mérites du congrès des peuples de l'Est qui se tient à Bakou, en 1920 (en bas, à gauche).

### TOUJOURS AU TRAVAIL
Le travail volontaire d'un groupe scolaire (en bas, à droite).

liberté des membres du Parti bolchevique (qui, depuis mars 1918, s'appelle du reste le Parti communiste).

En 1921, la révolution semble partout complètement battue : en Europe centrale, où elle a brièvement conquis le pouvoir (Hongrie et Bavière) et essayé de créer artificiellement des occasions d'insurrection (Allemagne et Autriche), et dans le reste du continent, où se sont présentées des situations de conflits ouverts (par exemple, au nord de l'Italie, avec des occupations d'usines en septembre 1920, ou bien en Tchécoslovaquie, avec une série de grèves), mais où on ne relève en fait aucune intention révolutionnaire ou insur-rectionnelle. En Russie, également, où les soviets ne sont plus que des relais bureaucratiques de transmission du pouvoir du Parti.

La défaite de la révolution européenne – que Lénine lui-même considérait comme indispensable pour la survie de la révolution russe – se transforme, paradoxalement, en occasion de victoire du communisme.

En effet, en Russie, à la base du pouvoir est le Parti communiste. C'est en son nom que l'Assemblée constituante a été dissoute, que la terreur s'est installée et qu'est né le communisme de guerre.

Le monopole du pouvoir détenu par le Parti est le dogme sur lequel se fonde la vision qu'ont les bolcheviks de la révolution, vision qu'ils transmettent aux communistes du monde entier qui adhèrent à la III$^e$ Internationale. Désormais, quand on parle de révolution, on pense tout de suite à la possibilité pour les partis communistes de s'emparer du pouvoir.

Du reste, la constitution approuvée en Russie le 10 juillet 1918 déclarait déjà que « le Parti communiste dirige, commande et domine tout l'appareil de l'État ».

# STRUCTURE ET ÉVOLUTION DU PCUS

Ne comptant que quelques milliers d'adhérents à l'époque de la révolution, le Parti bolchevique a considérablement grandi depuis novembre 1917. Les nouveaux inscrits au Parti communiste (son nouveau nom depuis mars 1918) – en grande partie des fonctionnaires et de petits employés attirés par la proximité du pouvoir – portent les effectifs à 450 000 personnes au printemps 1919. C'est à ce moment, à l'occasion du VIIIe Congrès, que la première « purge » est décidée : au bout de six mois de « contrôle idéologique », on élimine environ un tiers des membres, considérés comme carriéristes, passifs, ignorants et indignes d'appartenir au Parti (parce qu'ils sont alcooliques, pratiquants religieux, ou pour d'autres raisons). Le recrutement doit alors se faire presque exclusivement au sein de la classe ouvrière, de façon plus limitée dans la paysannerie, et exclure presque complètement les autres catégories sociales. En réalité, en 1921, alors que les inscrits sont au nombre de 750 000, 40 % seulement sont d'origine ouvrière, tandis que la « vieille garde » – entrée avant la révolution – ne représente plus que 2 % de l'effectif. Le nombre de communistes a augmenté pendant la guerre civile, car l'adhésion était devenue indispensable pour intégrer l'administration publique et faire une carrière dans les syndicats ou dans les nouvelles institutions soviétiques. La mobilisation continue des années 1918-1921 confère un rôle de plus en plus important au Secrétariat du Parti, chargé de nommer les dirigeants et les responsables locaux et de contrôler les inscrits. En mars 1922, après une nouvelle purge qui exclut environ un quart des membres du Parti, Staline est nommé Secrétaire général ; il centralise encore davantage le contrôle sur les fonctionnaires et les dirigeants de l'appareil bureaucratique de l'État et marginalise rapidement les membres des groupes d'opposition.

Marquées par la maladie, puis par la mort de Lénine, et donc par la lutte pour la succession à la tête du Parti, les années de la NEP font enregistrer une forte hausse du nombre d'inscrits, même si de nouvelles purges freinent momentanément la progression. À côté des épurations, de grandes campagnes de recrutement sont lancées : en 1924, tout de suite après la mort du chef bolchevique, la « génération Lénine » fait entrer d'un seul coup plus de 200 000 membres, puis, en 1927, c'est la « génération d'Octobre », à l'occasion du dixième anniversaire de la révolution. À cette époque, le Parti ne compte pas moins de 1,3 million d'adhérents, dont seulement 8 000 avaient participé à la révolution. Malgré cette intention d'admettre continuellement des ouvriers, environ 60 % des inscrits sont des employés et des fonctionnaires de cette bureaucratie démesurée dont le pays se dote. Le corps du Parti est très jeune (près de 90 % des effectifs a moins de 40 ans), mais aussi très peu instruit (1 % seulement des inscrits a un diplôme d'études supérieures). Chaque année, environ 5 % des membres sont convoqués devant les commissions de contrôle et 1 % est expulsé. Ce n'est qu'en 1929, à l'issue d'une lutte dont Staline est sorti vainqueur unique et absolu contre les anciens bolcheviks, qu'a lieu une nouvelle et grande épuration, visant à libérer le Parti de tous ses membres compromis avec les différentes oppositions : dans les campagnes, un membre sur cinq est exclu. Malgré toutes ces expulsions, les inscrits passent de 1,5 million en 1928 à 3,7 millions en 1932, majoritairement des ouvriers entrés dans les usines dans le cadre de l'industrialisation accélérée du pays et dépourvus de toute préparation idéologique et de conscience de classe. En janvier 1933, une nouvelle purge est décidée : cette fois, elle est menée avec la plus grande attention et dure plus d'une année, à l'issue de laquelle le Parti est privé d'un tiers environ de ses effectifs (la moitié des exclus l'a été par la force, l'autre moitié a démissionné).

**UN HOMME COMME LES AUTRES**
Staline, à droite, avec d'autres membres influents du Parti,

# LE SOCIALISME DANS UN SEUL PAYS

D ans les années vingt et trente, le communisme se présente comme un enchevêtrement inextricable d'éléments différents et souvent contradictoires. Il signifie révolution dans les pays d'Asie où la lutte pour l'indépendance et la fin du colonialisme puise son énergie dans l'appui que l'Union soviétique a décidé d'accorder aux « peuples opprimés ».

Le communisme signifie aussi, et peut-être même surtout, le pouvoir dans cette Russie où la révolution a gagné.

C'est un pouvoir de plus en plus consolidé, par lequel le Parti communiste s'est transformé en classe dirigeante et grâce auquel l'hégémonie des communistes russes sur les organisations révolutionnaires européennes, américaines et asiatiques est de plus en plus totale et incontestée.

C'est un pouvoir qui transforme profondément et rapidement le paysage social russe et dont les méthodes de répression et d'acquisition du consensus sont inédites et très performantes.

**LA VIEILLE GARDE**

Des dirigeants bolcheviques réunis,
en 1920, au IX<sup>e</sup> Congrès du PCUS.
Assis, de gauche à droite : Enoukidze,
Kalinine, Boukharine, Tomski,
Latchevitch, Kamenev, Preobrajenski,
Serebriakov et Lénine.

## MORT DE LÉNINE, LUTTE POUR LA SUCCESSION ET DÉFAITE DE TROTSKI

En 1922, Lénine sort en partie paralysé de deux congestions cérébrales ; en mars 1923, une troisième attaque le laisse aphasique. Sa dernière bataille l'oppose directement à Staline et concerne la structure fédérale de l'Union des républiques socialistes soviétiques (URSS), nouveau nom du pays depuis 1922. Staline voulait que la Géorgie, sa terre natale, et d'autres États indépendants restent au sein de la République fédérative de Russie. Mais Lénine parvient à imposer que d'autres républiques, comme l'Ukraine, la Biélorussie et la Transcaucasie (Géorgie, Arménie et Azerbaïdjan) fassent également partie de l'URSS : son intention était surtout de leur faire oublier, en leur accordant une plus grande autonomie, la brutalité militaire avec laquelle le pouvoir soviétique les avait assimilées (surtout le Caucase et l'Ukraine).

Avec la mort de Lénine, le 21 janvier 1924, s'ouvre la lutte pour sa succession à la tête du Parti. La plupart des bolcheviques craignent que Trotski – depuis quelque temps, le partisan le plus fervent des positions de Lénine – n'arrive à s'imposer, entraînant une dérive « bonapartiste ». Mais il se heurte à un « triumvirat », constitué par Grigori Zinoviev, Lev Kamenev et Staline, soutenu également par Nikolaï Boukharine, par le chef des syndicats, Mikhaïl Tomski, et par le chef du gouvernement, Alexeï Rykov, en dépit de ce que Lénine avait couché dans son « testament ». Quelque 200 000 nouveaux inscrits entrent dans le Parti – la « génération Lénine » – et viennent grossir les rangs de la majorité. En mai 1924, le XIII<sup>e</sup> Congrès du PCUS formalise la défaite de Trotski. À l'hypothèse trotskiste de la « révolution permanente », selon laquelle la révolution mondiale demeure la perspective nécessaire à la victoire du socialisme, Staline

## LE TESTAMENT DE LÉNINE

En mars 1924, le XIII<sup>e</sup> Congrès du PCUS, le premier à se dérouler sans Lénine, s'ouvre deux mois après la mort du chef bolchevique.

Malgré l'insistance de sa veuve, Nadejda Kroupskaïa, le comité central avait décidé de ne pas rendre public le « testament » de Lénine, mais de le faire lire uniquement aux chefs de délégations. Rédigé en trois phases successives (les 23 et 31 décembre 1922, et le 4 janvier 1923),

ce document comportait un jugement pondéré de la qualité des grands dirigeants bolcheviques. Lénine écrivait de Staline : « Il a concentré entre ses mains un pouvoir illimité, et je ne suis pas sûr qu'il sache se servir de cette autorité avec la prudence nécessaire. » De Trotski, il disait qu'il était « probablement la personne la plus compétente du comité central actuel », mais qu'il était « trop

**LES FUNÉRAILLES DE LÉNINE**

Au premier plan, Dzerjinski derrière lui, Sopranov, Kamenev, à gauche.

sûr de lui » et avait « un goût trop prononcé pour le côté purement administratif des choses ». Quant à Boukharine, il était « le théoricien le plus éminent du Parti, et il est légitimement considéré comme le favori de tout le Parti, mais ses opinions théoriques ne peuvent pas être vues comme pleinement marxistes et elles suscitent de grands doutes ». À propos de Staline, il ajoutait : « Il est trop brutal et ce défaut, tout à fait tolérable dans notre milieu, ne l'est plus dans les

**L'ENNEMI DU PARTI**
Trotski, ici avec Joffe, rentre à Moscou en 1926, après son exil au Caucase (ci-contre).

**GÉNÉALOGIE COMMUNISTE**
Lénine et Staline examinent un film (en bas, à droite). Le culte de Lénine se construit essentiellement autour de ses liens particuliers avec Staline, l'élève et l'héritier.

oppose la défense du « socialisme dans un seul pays ». Le renforcement du pouvoir communiste et la construction du socialisme en Russie sont nécessaires pour garantir, justement, la relance future de la révolution à un moment plus favorable. La formule stalinienne rencontre un consensus plus vaste auprès des autorités du Parti, des fonctionnaires, de tous les privilégiés de la révolution et de ceux qui entendent défendre et consolider le prestige et le pouvoir de la nation. En 1925, Staline s'allie à Boukharine, pour se libérer de Kamenev et de Zinoviev, lesquels tentent de construire une « opposition unifiée » avec Trotski, désormais démis de ses fonctions de commissaire du peuple à la guerre. En 1927, après les célébrations du dixième anniversaire de la révolution, Trotski et Zinoviev sont expulsés du Parti. Seul un tiers des inscrits de 1920 appartiennent encore à l'organisation et pas moins de la moitié des bolcheviques

qui étaient membres en 1917 l'ont quittée ou en ont été chassés. Le Parti compte alors plus de 1,3 million de personnes, dont la majorité (précisément 60 %) sont des bureaucrates et des employés de l'État, alors que les ouvriers et les paysans ne constituent qu'une minorité.

## DÉFAITE DE L'OPPOSITION ET PLAN QUINQUENNAL

Les années 1928 et 1929 sont cruciales pour l'histoire de l'URSS : c'est à cette période, en effet, qu'a été marginalisée et liquidée l'ultime opposition à Staline (guidée par Boukharine) au sein du Parti ; c'est

fonctions d'un Secrétaire général. Je propose donc aux camarades d'étudier un moyen pour l'amener à démissionner. » Staline proposa sa démission, qui fut rejetée à l'unanimité. Le « testament » a été publié aux États-Unis, et Trotski a été obligé de le condamner comme étant un faux (bien qu'il l'ait remis lui-même au journaliste communiste Max Eastman). Le texte en a été publié par Khrouchtchev dans le rapport secret au XX<sup>e</sup> Congrès du Parti communiste soviétique de 1956.

# STALINE

Dirigeant de la social-démocratie au début du xxᵉ siècle, Staline (Iossif Vissarionovitch Djougachvili) connaît la déportation en Sibérie, avant d'adhérer au Parti bolchevique. Arrêté à plusieurs reprises, il parvient toujours à s'évader, entre au comité central en 1912 et prend la direction de la *Pravda* en 1913. Revenu en Russie, il est de nouveau exilé en Sibérie, où il reste jusqu'en février 1917 ; entre février et octobre, il reprend ses fonctions de directeur du journal bolchevique, mais évite de jouer un rôle prépondérant dans l'insurrection. Au gouvernement bolchevique, il remplit pendant cinq ans les fonctions de commissaire aux nationalités. En 1922, il devient Secrétaire général du PCUS, un rôle organisationnel qui permet de contrôler tout l'appareil du Parti. Pendant la maladie de Lénine, il forme un triumvirat avec Zinoviev et

Kamenev pour battre Trotski. Au fil du temps, il se libère de tous ses rivaux en les faisant passer pour des ennemis du Parti et en exploitant le culte de Lénine, dont il se proclame l'héritier et le successeur. En 1929, au début du grand tournant de la collectivisation et du plan quinquennal, Staline est le seul dirigeant de l'époque révolutionnaire encore au Politburo, le club très réservé qui dirige le Parti et dont il a progressivement expulsé tous les anciens bolcheviques.

C'est dans les années trente que s'amplifie le culte de Staline, parallèlement à son pouvoir, de plus en plus absolu et imprévisible. La destruction physique de la vieille garde bolchevique est un des traits saillants de la Grande Terreur qui secoue toute la société russe. Pendant la Seconde Guerre mondiale, après l'incertitude et la paralysie qui succèdent à l'attaque allemande de juin 1941, Staline fédère la volonté de résistance des peuples soviétiques en lançant

un appel « à la grande guerre patriotique » et en contribuant de façon décisive – comme un des « trois grands », aux côtés de Churchill et de Roosevelt – à la défaite militaire nazie. Il meurt d'une hémorragie cérébrale en mars 1953, après avoir étendu son despotisme à tout le socialisme et avoir repris sa politique de répression, en la justifiant par la conviction paranoïaque que des complots se tramaient contre le régime et sa propre personne.

**LE TRAVAIL À LA RÉDACTION**
Nikolaï Boukharine et la sœur de Lénine, Maria Oulianova, travaillent à la rédaction de la *Pravda* (ci-contre).

**PROLÉTAIRES ET PAYSANS**
Au début des années trente, ces manifestants demandent la solidarité entre le prolétariat industriel et le monde rural et marchent en faveur de la collectivisation des campagnes (en bas).

aussi à cette époque que voient le jour l'industrialisation accélérée et la collectivisation des campagnes qui marqueront la « révolution d'en haut », destinée à changer l'aspect de la Russie soviétique au cours des années trente ; enfin, c'est l'époque du tournant d'« ultra-gauche » au sein de l'Internationale communiste. Le conflit entre Staline et Boukharine porte essentiellement sur la fin de la NEP, apparue avec les mauvaises récoltes de l'hiver 1927-1928, crise à laquelle les autorités répondent par des réquisitions et des confiscations qui ne sont pas sans rappeler celles de la guerre civile.

En avril 1928, un procès contre un groupe de saboteurs industriels présumés (le procès de Sachty, dans la région du Donbass, premier procès politique après celui des socialistes-révolutionnaires, en 1922) marque le coup d'envoi de la campagne contre les ennemis « actuels » du socialisme : les saboteurs et les traîtres à la solde des puissances étrangères, les positions de droite au sein du Parti et les paysans enrichis (les *koulaks*). Pour combattre justement le pouvoir de ces petits « capitalistes agraires », Staline s'oriente vers la collectivisation des campagnes et décide la création de grosses exploitations collectives (les *kolkhozes*) : il s'agit de complexes agro-industriels dont l'outil de travail (tracteurs et machines) est détenu par la communauté et qui vont accroître considérablement la production et la commercialisation de produits agricoles. Tandis que les économistes étudient un plan de croissance industrielle, Staline adopte bon nombre des positions qui étaient autrefois celles de l'opposition de gauche : il trouve nécessaire, entre autres, de faire peser sur la population

**LE COMMUNISME
DANS LES CAMPAGNES**
Des images édifiantes vantent
la transformation artisanale des
produits agricoles et les premières
expériences de mécanisation dans
les exploitations collectives
(ci-contre).

**LA MOISSON DU KOLKHOZE**
Cette charrette tirée par des bœufs
est l'image de la Russie
traditionnelle que Staline – porté en
effigie pendant la récolte – entend
complètement changer au moyen
de la collectivisation (en bas).

rurale tout le coût de l'industrialisation. Partisan d'une révision de la NEP, mais pas de son abandon, Boukharine est mis en minorité par le comité central de novembre 1928. Auparavant, pendant l'été, s'était tenu le VIᵉ Congrès de l'Internationale communiste, qui avait admis l'hypothèse d'une progressive fascisation de la social-démocratie, indiquant l'imminente crise du capitalisme et de la démocratie comme un terreau propice à une nouvelle vague révolutionnaire victorieuse. C'est le début de la tactique « classe contre classe » : la radicalisation présumée des masses et la présence de l'URSS sont considérées comme deux garanties suffisantes pour assurer une issue révolutionnaire à la crise.

En avril et en mai 1929, la XVIᵉ Conférence du Parti et le Vᵉ Congrès des soviets ratifient la dernière version du plan quinquennal : une croissance de 135 % de la production industrielle, la réalisation de grands projets déjà en chantier (la grande centrale hydroélectrique sur le Dniepr, la ligne ferroviaire entre le Turkestan et la Sibérie), la construction d'environ 2 000 nouvelles usines et la collectivisation d'au moins 20 % des terres agricoles.

## LE TOUR DE VIS

L'éloignement de Boukharine de la direction de la *Pravda*, celui de Tomski de celle des syndicats, et celui de Rykov de la présidence du Sovnarkom (Conseil des commissaires du peuple) font suite à l'expulsion de Trotski de l'Union soviétique ainsi qu'à une épuration générale du Parti, qui s'est libéré de près de 200 000 inscrits, soit 12 % de ses effectifs. Les fonctionnaires

**L'EFFORT DE PRODUCTIVITÉ**
Affiche invitant à entrer dans les exploitations agricoles collectives : « Viens avec nous au kolkhoze ! » (à gauche).

**LE FRUIT DU TRAVAIL**
Un vieux paysan à la pesée de son blé (ci-contre).

La récolte de pommes de terre (en bas).

de l'État sont, eux aussi, soumis à des contrôles et plus de 10 % d'entre eux perdent leur place, tandis que 3 % sont fichés comme ennemis du pouvoir et donc déchus de leurs droits civiques. Certes, les résultats de la croissance industrielle sont incontestables, alors qu'en Occident l'effondrement de la Bourse de New York entraîne une grave crise économique, mais si l'industrialisation accélérée change complètement le visage de l'URSS, c'est au prix d'importants gâchis et de sacrifices en termes de ressources humaines et matérielles. À l'accroissement quantitatif correspondent une baisse de la productivité du travail et de la qualité des produits, ainsi qu'une dégradation des conditions de vie et un exode rural supérieur aux prévisions ; cela entraîne d'ailleurs une anarchie sociale, tout à fait propice aux politiques de répression et au contrôle exercé par

le pouvoir. Après avoir combattu les dirigeants et les spécialistes « bourgeois », victimes d'un nombre croissant de procès et de condamnations à mort, le gouvernement adopte des mesures radicales pour discipliner une force de travail nouvelle, sans qualifications, d'origine paysanne et qui risque de compromettre et de désorganiser l'industrialisation accélérée. En 1932, le passeport interne est créé ; y sont indiqués les emplois successifs du travailleur ainsi que son inscription obligatoire à la police locale. La mobilité constante des ouvriers (entre le début et la fin de l'année, il est fréquent que tout le personnel d'une usine ait changé) est une des raisons de la chute de la productivité (- 28 % entre 1928 et 1930). Les absentéistes sont licenciés et perdent leur droit aux tickets alimentaires, au logement et au permis de séjour.

# LA COLLECTIVISATION DES CAMPAGNES

À l'origine, la collectivisation devait être volontariste et l'État devait se limiter à proposer des machines agricoles, des semis et la collaboration de spécialistes. Mais il y a le plan quinquennal, dont les objectifs ne cessent d'augmenter, et le nombre de familles prévues dans le processus de collectivisation augmente, lui aussi, en 1930 (au départ, on parlait de 8 millions, puis de 10, de 13 et, enfin, de 30 millions de familles concernées). En juin 1929, tous les organismes du Parti, les syndicats, les coopératives sont mobilisés, avec l'aide et sous le contrôle de la Guépéou, afin de pousser les paysans à adhérer massivement aux kolkhozes. En quelques mois, un million de cultivateurs sont impliqués, et à partir de janvier 1930, le rythme s'intensifie, surtout dans le Caucase et dans les régions de la Basse et de la Moyenne-Volga. Les koulaks – dont la définition

est souvent arbitraire, établie par la police politique ou par les comités de « paysans pauvres » créés dans les villages par les communistes – se partagent en trois catégories : les « contre-révolutionnaires », les « opposants » et les « fidèles ». Ceux qui appartenaient aux deux premières catégories sont arrêtés et déportés en Sibérie et au Kazakhstan, après confiscation de leurs biens. Ceux de la troisième catégorie sont obligés de déménager dans des régions limitrophes, souvent sur des terres à défricher. La difficulté que pose la définition des koulaks entraîne la « dékoulakisation » de centaines de milliers de paysans de

condition moyenne, souvent propriétaires de quelques animaux ou machines agricoles et opposés à la collectivisation. En effet, la résistance est fréquente, surtout en Ukraine, sur le Don et dans le nord du Caucase, et donne lieu à des milliers de jacqueries – ainsi nommés par la police – auxquelles participent des millions de paysans. Le 2 mars, dans un article intitulé « Le Vertige du succès », Staline accuse les autorités locales d'« excès » de collectivisation et promet le respect du principe de l'adhésion volontaire, permettant ainsi à ceux qui le veulent de quitter les kolkhozes. Plus de 5 millions de paysans en sortent et les exploitations

collectives ne peuvent retenir que 20 % des familles de cultivateurs. Mais cette décision est de courte durée, et réversible. Avec le temps, la pression pour la collectivisation reprend et se poursuit par vagues, jusqu'en 1934. En 1932, les passeports internes sont rétablis, afin d'attacher les paysans à la terre. La conséquence la plus tragique de la collectivisation a été la famine qui, pendant l'hiver 1932-1933, a frappé l'Ukraine, le nord du Caucase et le Kazakhstan, faisant des millions de morts.

**UNIS, LIBRES ET TOUS D'ACCORD**
Les paysans d'une exploitation collective se rendent tous ensemble au travail, en brandissant des bannières à la gloire de la politique soviétique.

**LA LUTTE CONTRE LES SPÉCULATEURS**
Une affiche pour la collectivisation invite à combattre la spéculation dans le commerce de produits agricoles (à gauche).

**ENNEMIS DE CLASSE**
Des koulaks à la fin du procès qui les condamne à la peine de mort (ci-contre).

**LE MOMENT DE LA RÉCOLTE**
Une pause pendant les travaux des champs dans un kolkhoze de Vilshanka, en Ukraine (en bas).

## CONSOLIDATION DU RÉGIME ET GUERRE AUX PAYSANS

Pendant la première moitié des années trente s'installe définitivement un régime absolu et totalitaire dont Staline est le leader et le symbole. La peur et la méfiance vis-à-vis d'une Europe qui semble avoir perdu son âme démocratique se traduisent, en URSS, par un climat de soupçon qui autorise les abus et les persécutions qui accompagnent une dynamique sociale tumultueuse.

Le régime communiste soviétique poursuit l'élimination systématique de la vieille garde bolchevique, celle qui avait fait la révolution, intensifiant encore davantage le climat de terreur dans lequel vit la population et favorisant l'institution du culte de Staline, qui fait l'objet d'amour ou de haine, tous deux pareillement sincères. La récolte de l'automne 1930 est remarquable, surtout grâce à la production des kolkhozes, mais de 60 à 70 % de celle-ci sont immédiatement réquisitionnés par l'État. De nouvelles pressions pèsent sur les paysans, que le régime veut faire entrer dans les fermes collectives, lesquelles s'agrandissent grâce aux terres confisquées aux paysans riches, mais aussi aux pâturages et aux bois des communautés de villages. Les violences de l'année précédente se répètent, perpétrées aussi bien par les paysans que par les autorités. La hausse constante des objectifs de production

**LE MOTEUR DU DÉVELOPPEMENT**
*La Réparation de la locomotive,*
d'Alexandre Samokhvalov (1931),
est un hommage à
l'industrialisation (en bas,
à gauche).

**LA MODERNITÉ
DANS LES CAMPAGNES**
Un paysan observe une lampe
« Ilitch » (en bas, à droite) ;
l'installation de l'électricité dans les
campagnes est un des principaux
objectifs du pouvoir soviétique.

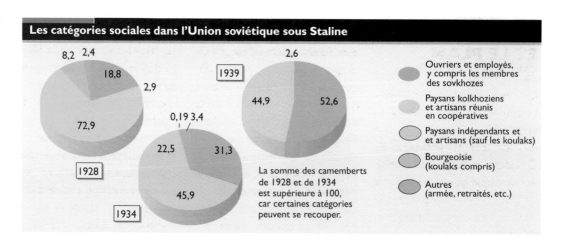

**Les catégories sociales dans l'Union soviétique sous Staline**

1939
1928
1934

La somme des camemberts
de 1928 et de 1934
est supérieure à 100,
car certaines catégories
peuvent se recouper.

● Ouvriers et employés,
y compris les membres
des sovkhozes

● Paysans kolkhoziens
et artisans réunis
en coopératives

● Paysans indépendants et
et artisans (sauf les koulaks)

● Bourgeoisie
(koulaks compris)

● Autres
(armée, retraités, etc.)

imposés aux campagnes entraîne une baisse tout aussi constante de l'élevage, des semis et surtout des denrées destinées aux populations rurales. Cela finit par provoquer une résistance inattendue, avec des récoltes brûlées, du bétail sacrifié et des semis laissés à l'abandon ; en fait, le pouvoir soviétique mène une guerre – implicite – contre les paysans, ce qui va faire disparaître complètement le paysage rural qui, pendant des siècles, a caractérisé la Russie. Une loi condamne à dix ans de déportation tout vol perpétré dans les kolkhozes, et des dizaines de milliers de kolkhoziens sont donc punis pour avoir « volé » quelques épis avant la moisson. La réquisition des régions céréalières les plus riches est de plus en plus humiliante et ne laisse même plus aux paysans de quoi manger. Cette « leçon » entend surtout punir tous ceux qui ont résisté à la collectivisation et avertir les autorités locales qu'elles ne doivent pas céder à des pressions ou à des chan-

tages. En Ukraine, au nord du Caucase et au Kazakhstan, une disette « pilotée » par le pouvoir central fait des millions de morts. Les paysans et les ouvriers accusés de « saboter » l'industrialisation et la collectivisation sont internés dans le nouveau système des camps de redressement par le travail, que l'on appellera, à partir de 1931, le Goulag (initiales de *Glavnoïe Oupravlenie Laguerïe*, Direction principale des camps de travail forcé). Le renforcement et l'application constante de mesures coercitives contre la paysannerie – les récalcitrants qui refusent d'entrer dans les kolkhozes sont condamnés comme « spéculateurs » – permettent d'achever le processus de collectivisation en quelques années. Mais les volumes croissants de produits agricoles prélevés par l'État ne se transforment pas en quantités croissantes de biens à consommer, et les échecs

# L'OCCIDENT ET LE PLAN QUINQUENNAL

La collectivisation et le lancement du plan quinquennal coïncident avec l'effondrement de la Bourse de New York, qui provoque en Occident la plus grave crise économique que le capitalisme ait jamais connue. S'ensuit une période de chômage croissant et de dégradation de la production et du commerce. Cela explique aussi l'enthousiasme d'une grande partie des observateurs occidentaux et de presque tous ceux qui se rendent en URSS à cette époque et peuvent évaluer l'expérience économique et sociale de ce pays, justifiant au passage – du moins, en partie – des politiques répressives, la censure et la dictature, au nom des résultats obtenus et des objectifs atteints par l'industrie. La fascination qu'exerce alors l'URSS est différente de celle qu'elle suscitait dix ans plus tôt, quand les militants, les syndicalistes, les artistes et les rêveurs ne voyaient ce pays que comme le berceau de la révolution ; tous sont frappés maintenant par l'expérimentation sociale d'une modernisation rapide et pilotée d'en haut, susceptible de faire faire à ce pays, en quelques années, les progrès que l'Occident a mis des décennies à accomplir.

C'est la raison pour laquelle des ingénieurs et des agronomes sont si enthousiastes devant les succès du plan et de la collectivisation, qu'ils observent à partir des données officielles, mais sans connaître ni prendre en compte l'ampleur des sacrifices et des violences qui ont accompagné ce processus.

L'intérêt, la reconnaissance et la sympathie dont jouit l'URSS à cette époque, et qui s'expriment dans les articles et les reportages publiés dans les plus grands journaux ou encore à travers les visites de dirigeants politiques, d'économistes, d'écrivains et de scientifiques, sont le fruit, d'une part, de la capacité de ce régime à valoriser le côté héroïque et volontariste du pays, et, d'autre part, de la cécité de l'Occident, qui ne voit pas, derrière le dynamisme du début des années trente, les difficultés et les souffrances qu'a connues la « révolution d'en haut ».

**UN OPTIMISME AFFICHÉ**
Ce tableau de A. Plastov (1938) est intitulé la *Fête au kolkhoze* (ci-dessus).

**LA CONSTRUCTION DE L'AVENIR**
Les aciéries de Kertschmek, à la frontière orientale de la Crimée, ont été créées, comme beaucoup d'autres grands complexes industriels d'Union soviétique, au début des années trente (ci-dessous).

**ENTRE LA MISÈRE ET LA MORT**
Faim et disettes sont les fléaux des campagnes au moment culminant du processus de collectivisation ; ci-contre, deux photographies datant de 1931 et de 1933.

**LES RÉCOLTES CACHÉES**
Des membres des jeunesses communistes creusent la terre, dans un cimetière d'Odessa ; ils cherchent des sacs de blé qui, selon eux, auraient été cachés par les koulaks pour les soustraire aux réquisitions de l'État (avril 1930) (en bas).

économiques récurrents entraînent une aggravation des politiques policière, dictatoriale et bureaucratique du régime. Avec le temps, la réponse des paysans à la violence prend la forme d'une résistance passive : ils font tout pour travailler le moins possible. Ils sont en fait des salariés, et laissent à l'État le soin de s'occuper des semis et des moissons. Le dynamisme qui semblait caractériser les kolkhozes des débuts est remplacé par une sorte d'apathie progressive à laquelle les autorités n'arrivent pas à faire face avec le matériel – tracteurs et machines – insuffisant dont elles disposent.

Entre-temps, les résultats du premier plan sont publiés, en 1933, celui-ci étant déclaré terminé avant la date prévue (avec quelques mois d'avance). Le développement de l'industrie lourde et des sources d'énergie a été imposant, bien qu'inférieur aux attentes ; en revanche, la croissance de l'industrie légère et des biens de consommation a été médiocre. Le grand effort financier déployé à travers les investissements de l'État n'a en rien amélioré les conditions de vie de la population. La croissance intensive a été possible grâce, surtout, à l'assimilation d'une nouvelle main-d'œuvre provenant des campagnes, mais la productivité – qui devait au moins doubler, selon les prévisions – ne décolle pas. Les difficultés évidentes d'approvisionnement et des transports, du renouvellement et de l'entretien du matériel, les insuffisances indéniables des capacités de stockage et de distribution sont autant de facteurs qui rendent encore plus ardue la transformation des résultats quantitatifs du plan en succès tangibles et matériels. La mobilisation permanente à laquelle semble être soumise toute la société soviétique est le fruit des tensions sociales qui caractérisent la croissance économique contradictoire. L'intervention

**L'ÉLAN DE PRODUCTION**
Un ouvrier près de moules de moteurs Diesel dans une usine métallurgique (à gauche).

**DES OBJECTIFS AMBITIEUX**
Cette affiche vante le développement de la production et de la culture (1932) (ci-contre).

**LES « BRIGADES DE CHOC »**
Cet émule du champion du rendement, le mineur Stakhanov, ne jure que par le travail volontaire et son rôle dans la construction du socialisme (en bas).

grandissante des autorités policières et le contrôle par la direction politique de tous les aspects de la vie collective symbolisent la symbiose progressive entre le Parti et l'État ou, pour mieux dire, la conquête définitive du second par le premier. De façon chaotique, mais aussi avec dynamisme, l'État et la société soviétiques semblent avoir opté définitivement pour l'option de la modernisation. Les coûts sociaux, qui pèsent surtout sur les paysans, mais aussi – dans une moindre mesure, certes – sur les ouvriers, en paraissent le prix incontournable, si le pays veut accélérer son développement et rattraper les sociétés capitalistes. L'URSS est prise entre l'enthousiasme suscité par le nouveau défi et les premiers résultats tangibles – encore que contradictoires – d'une part, et de l'autre, la crainte d'être emportée par les mesures coercitives et les contrôles policiers fréquents dans cette phase de son évolution. L'espoir d'améliorer, en quelques

années, leurs propres conditions de vie et celles de leur famille pousse des centaines de milliers de personnes à supporter sacrifices et privations, mais aussi à défier de plus en plus les interdictions et les règles que leur infligent les autorités. La mobilité – sociale et géographique – des campagnes vers la ville, et d'une usine à l'autre, est à la fois un facteur de dynamisme et un déclencheur possible d'anarchie, et les dirigeants du Parti décident de s'en servir pour accroître le pouvoir – de plus en plus diffus et arbitraires – de l'État sur la société. L'immense défi économique s'associe à une volonté de normalisation de la vie sociale à travers une intervention massive des gouvernants.

## LA GRANDE TERREUR

Tandis qu'en Espagne les communistes des Brigades internationales combattent pour défendre la république, à Moscou,

## LE STAKHANOVISME

Dans la nuit du 30 au 31 août 1935, le mineur Alexeï Stakhanov (qui avait alors 31 ans) parvient à extraire 100 tonnes de charbon, quatorze fois plus que la moyenne établie par les autorités. Fruit d'un travail d'équipe qui rationalise le travail et accroît considérablement la productivité de chaque mineur, cet exploit devient l'emblème du sacrifice et de la discipline auxquels se plient les ouvriers désireux de construire le socialisme. C'est ainsi

que partout dans le pays se forment des « brigades de choc » qui tentent d'imiter, voire dépasser, Stakhanov dans le cadre d'une campagne visant à relever la productivité industrielle. Vivement encouragé par les autorités et récompensé par de nombreux privilèges, ce mouvement « volontaire » prendra le nom de « stakhanovisme », un terme qui deviendra synonyme d'efficacité et de discipline, même si son impact en matière de propagande a largement dépassé ses résultats concrets.

c'est le début de ce que l'on appellera la « Grande Terreur ».
On en avait relevé les premiers signes dès l'année précédente,
avec les arrestations, les procès et les nouvelles lois
répressives qui avaient suivi l'assassinat de Sergueï
Kirov, secrétaire du parti de Leningrad. Quelques mois
plus tôt, à l'issue du XVIIe Congrès du Parti, il avait
obtenu l'unanimité, alors que seuls un quart des
délégués présents avaient voté pour Staline. Celui-ci
fut élu, avec seulement trois voix contre, lors d'une
nouvelle élection, mais le destin de Kirov semblait
désormais scellé. Le climat de peur créé par la presse
proche du Parti sous-tend les abus qui se traduisent
par des centaines de fusillés parmi les opposants et
des milliers de militants de Leningrad exilés en
Sibérie ; Zinoviev et Kamenev sont accusés d'être les
commanditaires de l'assassinat. Sur les presque 2 000 délégués

présents au XVIIe Congrès, plus de la moitié perdront
la vie dans les épurations de la seconde moitié des
années trente ; et sur les 139 membres élus
dans le comité central, pas moins de 98
seront fusillés. Les deux tiers de ceux qui ont
signé la constitution promulguée en 1936
seront, eux aussi, victimes de la répression.
La Terreur frappe surtout les membres du
Parti, y compris ceux qui se sont rangés aux
côtés de Staline au cours des précédentes
luttes contre les oppositions.
Le premier des « procès de Moscou » se
tient en août 1936, et tous les accusés
(notamment Zinoviev, Kamenev et
Smirnov) sont des anciens bolcheviks. Condamnés à
mort, ils seront exécutés tout de suite après le jugement.

## PROCÈS À MOSCOU

En mars 1938, dans un climat
international de plus en plus
tendu, se tient à Moscou le
dernier des grands procès publics
qui ont marqué la Grande Terreur
de la seconde moitié des années
trente. Le principal accusé est
Nikolaï Boukharine, dont l'alliance
avec Staline a permis à ce dernier
d'anéantir l'opposition de Trotski
et de la gauche ; mais depuis 1928,
il est devenu la cible de la lutte
contre la « déviation » droitière,

hostile à la collectivisation forcée
et à l'industrialisation accélérée.
Avec Boukharine sont jugés
l'ancien Premier ministre Alexeï
Rykov et l'ancien chef du NKVD
(la police politique) Genrich
Iagoda, lequel avait orchestré le
procès précédent, en 1936, avec
d'autres dirigeants de premier
plan. Encore plus que dans les cas
précédents, ce simulacre est
construit sur d'évidents men-
songes, d'absurdes accusations et
sur des « aveux » extorqués par
la violence physique et psycholo-

gique, ou encore par des menaces
aux familles des victimes. L'ancien
commissaire aux Affaires étrangères revient sur ses aveux, indiquant les avoir faits sous les
menaces et les chantages, mais le
lendemain, il fait machine arrière.
Boukharine, qui souligne les points
de ses aveux qui peuvent être
démentis (dates, rencontres, lieux),
fait une déclaration ambiguë.
En réalité, à ce même moment,
il a déjà confié son testament à sa
femme Anna Larina, pour qu'elle
apprenne par cœur ce cri déses-

Le deuxième procès s'ouvre en janvier 1937 contre le directeur de la *Pravda*, Radek, l'ancien ambassadeur à Londres, Sokolnikov, le commissaire adjoint à l'industrie lourde, Piatakov, et d'anciens membres de l'opposition qui, convaincus de la nécessité de l'industrialisation accélérée, avaient pourtant soutenu Staline.

Le troisième procès se tient en mars 1938, tandis que la crise entre l'Allemagne et la Tchécoslovaquie à propos des Sudètes déstabilise déjà le climat international. Parmi les accusés figurent Boukharine et l'ancien Premier ministre Rykov, l'ancien commissaire aux Affaires étrangères Krestinski, et même Genrich Iagoda, ancien chef du NKVD (Commissariat du peuple aux Affaires intérieures), qui avait organisé le premier de ces grands procès. Il est remplacé dans ses fonctions par Nikolaï Iejov, qui donnera son nom à la période la plus sanglante de la Terreur.

C'est pendant les années 1937-1938 que des millions de prisonniers, jugés de façon tout à fait sommaire – quand ils le sont – affrontent les horreurs du Goulag et des camps de travail ; des centaines de milliers d'entre eux sont tués directement par la police secrète. Entre le premier et le deuxième procès, un autre procès se tient à huis clos et élimine huit généraux de l'Armée rouge – dont Toukhatchevski, le plus haut grade –, ainsi que de nombreux officiers, et privera pendant longtemps l'armée d'un commandement performant. La crise internationale qui, à l'occasion de la conférence de Munich, a bien révélé la faiblesse de l'Europe devant les ambitions expansionnistes de Hitler s'amplifie de mois en mois, isolant de plus en plus la Russie soviétique. Après avoir cherché, en vain, une alliance avec les Britanniques et les Français, l'URSS décide de signer un accord avec l'Allemagne nazie.

péré de confiance dans le socialisme. Sa veuve le rendra public lorsqu'elle sera très âgée, cinquante ans plus tard : « Je vais au-devant de la mort. Je baisse la tête, non pas devant l'arme prolétarienne qui se doit d'être inexorable, mais immaculée. Je sens mon impuissance devant la machine infernale qui, appliquant probablement des méthodes médiévales, déploie une force épouvantable, forge des calomnies bien tournées et agit avec détermination et certitude [...]. »

**LE PARTAGE DE LA POLOGNE**
Des officiers allemands et russes se rencontrent à Brest-Litovsk, après la signature du pacte d'août 1939, afin de s'entendre sur le partage de la Pologne (ci-contre).

**LE SALUT DES NAZIS**
Le commandant des troupes soviétiques d'occupation entre à Brest-Litovsk, accueilli par le salut militaire des officiers allemands (en bas).

## LE PACTE MOLOTOV-RIBBENTROP

En avril 1939, face à l'attitude des diplomaties anglaise et française qui hésitent à prendre clairement position vis-à-vis de Hitler et qui repoussent les propositions russes d'alliance, Staline écarte Litvinov, son ministre des Affaires étrangères, tenant de la sécurité collective, et met à sa place Molotov, enclin à choisir l'alliance la plus favorable à l'URSS. L'agacement devant le comportement des démocraties conduit cette dernière à privilégier un accord avec l'autre grande puissance totalitaire, l'Allemagne nazie, entente qui se concrétisera le 23 août.

L'effet de ce pacte germano-soviétique sur la crédibilité des partis communistes dans la lutte contre le fascisme est, on s'en doute, catastrophique : aux crises de conscience d'un nombre croissants d'inscrits qui sortent de tous les partis communistes européens s'ajoute la difficulté de répondre aux accusations de défaitisme et de complicité avec l'ennemi au fur et à mesure que la guerre approche et que l'expansionnisme allemand se concrétise, avec l'agression de la Pologne, le 1er septembre 1939. Toutefois, les dirigeants soviétiques ne se laissent pas influencer par ces critiques et misent sur les avantages immédiats que l'entente leur apporte. Tout d'abord, ceux contenus dans les clauses secrètes du traité qui assurent à l'URSS la mainmise sur l'Estonie, la Lettonie, la Lituanie, la Finlande et la Bessarabie, en plus des territoires de l'est de la Pologne. À cette conquête importante du point de vue territorial et démographique s'ajoute la possibilité d'avoir plus de temps pour se préparer avant que l'Allemagne ne retourne ses troupes contre le sol soviétique. Mais en juin 1941, cette dernière justification semble démentie par la surprise totale et le manque de préparation des Soviétiques face à l'« opération Barbarossa ».

# LE GOULAG

La Glavnoïe Oupravlenie Laguereï (Direction principale des camps de travail forcé) a été créée, en avril 1930, pour gérer une grande partie des camps de travail et de prisonniers existants à l'époque en URSS. Le premier vrai camp, situé dans les îles Solovski, fonctionnait déjà en 1923. En 1927, le nombre de détenus s'élevait à 200 000. Mais en 1929 – avec le lancement du plan quinquennal et la collectivisation forcée –, le besoin de main-d'œuvre coïncide avec une augmentation vertigineuse des délits, des sabotages et des violences dont les auteurs sont immédiatement considérés comme des ennemis du socialisme. En 1935, les détenus sont donc plus d'un million, et la rotation est très rapide, à cause des décès. La principale caractéristique du Goulag (qui comprendra an total 384 camps, dont le plus grand ne comptait pas moins de 260 000 détenus) est effectivement d'exploiter les prisonniers et les déportés à des fins économiques.

Quelques-uns des plus grands ouvrages construits dans les années trente – notamment le Belomorkanal (canal de la mer Blanche-mer Baltique), la ligne de chemin de fer Baïkal-Amour, le canal Moscou-Volga, les centrales hydroélectriques de Kouïbychev et de Stalingrad – ont été réalisés grâce au travail forcé de ces détenus. Les régions où le phénomène s'est davantage concentré sont le Nord-Est (les camps de la Kolyma et de Magadan), le Nord (les camps de la Carélie et de la péninsule de Komi, des îles

Solovski et de la région du Belomorkanal) et le Kazakhstan. Avec le début de la Grande Terreur, le flux de prisonniers s'accroît brusquement : en neuf mois (entre juillet 1937 et avril 1938), leur nombre augmente de 800 000, pour dépasser les 2 millions. Ensuite, il se stabilise, avant de monter de nouveau en flèche pendant la Seconde Guerre mondiale, avec l'arrivée de prisonniers et de groupes nationaux (Tatars, Kalmouks, Allemands de la Volga) victimes de répressions et condamnés aux travaux forcés. C'est en avril-mai 1950 que le nombre de détenus dans les camps, les colonies et les prisons du pays atteint son maximum, avec plus de 2,8 millions de personnes. Au cours des trois années suivantes, ce chiffre se stabilise autour de 2,6 millions. Après la mort de Staline, une amnistie signée le 27 mars 1953 libère plus d'un million de prisonniers, et les effectifs continueront de baisser jusqu'en 1956, année où le Goulag change de nom et devient la Direction centrale des colonies de redressement par le travail. Il faudra attendre les années de la déstalinisation pour que les Soviétiques découvrent directement et officiellement cette terrible répression qui avait imprégné toute la société, touchant pratiquement une famille sur cinq et accompagnant les grands résultats dont le régime était si fier, de l'industrialisation à la victoire militaire pendant la Seconde Guerre mondiale. Les détenus du Goulag représentaient plus ou moins la société dans sa globalité. La plupart des victimes étaient, certes, des paysans, mais des aristocrates, des ouvriers, des opposants politiques et des membres du Parti, jeunes ou vieux, hommes et femmes, ont été enfermés dans les camps du Nord et de l'Est. Comme le révéleront plus tard à l'opinion publique internationale de grands écrivains – notamment Alexandre Soljenitsyne, Varlam Chalamov et Vassili Grossman –, le Goulag a été en quelque sorte un microcosme de toute l'Union soviétique.

**UN UNIVERS TRAGIQUE**
Scènes de travail au Goulag, dans les années trente (en haut et ci-dessous).

# CONFLIT OUVERT ENTRE LES DEUX GUERRES

Le communisme est un mythe, pour les partis communistes européens, mais aussi pour une grande partie du mouvement ouvrier, qui croit encore dans la révolution et accepte difficilement l'idée de devoir conquérir avec patience et ténacité un consensus dont il a besoin. En Europe comme en Asie, l'URSS est un guide idéologique, un phare pour l'action, un soutien indispensable pour redonner à la révolution sa dimension internationale.

Mais c'est également un mythe pour de plus en plus d'intellectuels démocrates, qui trouvent dans le communisme soviétique une sorte de rempart contre les fascismes et y voient la possibilité de vivre une expérience sociale, nouvelle et exaltante, malgré toute la brutalité de ce régime, qui apparaît de plus en plus évidente.

# L'INTERNATIONALE
## AU LENDEMAIN DE LA GRANDE GUERRE

Les tensions et les contradictions de la société de l'après-guerre – qui s'expriment sur le plan politique à travers l'émergence des fascismes, et sur le plan économique par une crise sans précédent – sont un terrain propice à une vision mythique du binôme URSS-révolution. Dans les années vingt, les partis communistes sont pris entre, d'une part, le déclin progressif et la fin des espoirs révolutionnaires et, d'autre part, la lutte pour le renforcement du pouvoir en URSS.

À partir du IIe Congrès de la IIIe Internationale, le mouvement communiste international se structure essentiellement sur la base des Vingt-et-une Conditions d'« admission » élaborées par le Komintern. Les partis communistes restent minoritaires, sauf en Allemagne, en Tchécoslovaquie et en France, où ils sont soutenus par les masses, et se séparent des partis socialistes et socio-démocrates, qui, eux, gardent l'adhésion de la majorité de la classe ouvrière. En 1921, le IIIe Congrès de l'Internationale communiste a fait apparaître un paradoxe : tandis que les leaders bolcheviques – Lénine et Trotski en tête – sont convaincus de l'essoufflement de la vague révolutionnaire, les dirigeants des partis communistes européens minoritaires sortent des partis socialistes et revendiquent encore l'actualité de la révolution. Quoi qu'il en soit, presque tous, au sein de l'Internationale, approuvent ouvertement le choix des Soviétiques de faire primer la discipline et l'obéissance. À cet égard, le cas de Paul Levi, leader communiste allemand qui, en 1921, s'est opposé à l'« action de mars », qu'il trouvait prématurée et aventureuse, est exemplaire. Même si Lénine lui-même avait défendu sur le fond le

**LA RÉACTION ESPAGNOLE**
Le roi Alphonse d'Espagne et le président du Conseil Primo de Rivera, pendant une partie de chasse (ci-contre).

**LE COMMUNISME SE RÉPAND**
Marcel Cachin s'adresse au congrès de Tours de la SFIO (le parti socialiste français) et soutient son adhésion à l'Internationale (en bas, à gauche).

**LA SCISSION DU SOCIALISME ET DU COMMUNISME**
Au congrès de Tours, les socialistes et communistes français se séparent (en bas, à droite).

point de vue du vieux militant spartakiste, ami de Rosa Luxemburg, il n'en avait pas moins approuvé son expulsion du Parti communiste allemand pour manque de discipline. Quoique changeant et contradictoire, le point de vue soviétique devient le paramètre de toute appréciation de l'orthodoxie des directions des partis nationaux.

En Europe, les tensions politiques et les conflits sociaux sont encore aigus, même si les conservateurs et les réactionnaires semblent prévaloir. L'échec des dernières tentatives insurrectionnelles en Allemagne et, en 1923, en Pologne, le coup d'État de Primo de Rivera cette même année en Espagne et la répression en Bulgarie, puis, surtout, en Italie, la victoire et le renforcement du fascisme qui s'est emparé du pouvoir en 1922 n'empêchent pas l'Internationale d'évoquer encore d'« excellentes perspectives révolutionnaires ».

## LA RÉALITÉ DIFFICILE DES PARTIS COMMUNISTES EUROPÉENS

En Tchécoslovaquie, le parti communiste compte 350 000 inscrits au moment de sa fondation, mais les effectifs diminuent de moitié dès les premières années. Son poids électoral est néanmoins considérable – c'est le premier parti, en 1925, avec 13 % des suffrages – et se maintient à plus de 10 % durant plusieurs années.

En France, les trois quarts des délégués du congrès de Tours de la SFIO (le parti socialiste) décident, en décembre 1920, de se transformer en parti communiste, après avoir obtenu l'autorisation d'assouplir quelque peu les Vingt-et-Une Conditions de Lénine, afin de les adapter à la situation française. Le succès initial se solde, en fait, par une fonte des effectifs, qui, en 1924, ne comptent plus que 40 000 inscrits sur les 120 000 des débuts. Les contrastes entre les dirigeants

**LE TOURNANT**

Matteotti est tué en 1924, au terme d'une période agitée, ponctuée de violences et d'abus perpétrés contre la gauche italienne.

**ENTRE COMMUNISME ET FASCISME**

Préparatifs des services sanitaires à l'occasion de la grève d'août 1922, la dernière avant la marche sur Rome (en bas, à gauche).

Cette affiche de Dudovich exhorte les brigades fascistes à abattre le bolchevisme (en bas, à droite).

et l'Internationale découlent à la fois de problèmes politiques et de tensions individuelles, et affaiblissent la stratégie et l'action bien au-delà de ce qu'indiquent les chiffres. En Italie, la scission se produit à Livourne, en janvier 1921, à l'occasion du congrès du Parti socialiste, qui, deux ans auparavant, avait adhéré, à l'unanimité, à la III^e Internationale. La majorité du Parti, qui suit le programme « maximaliste » de Giacinto Serrati, est contre l'expulsion des réformistes imposée par le Komintern. La petite fraction communiste abstentionniste dirigée par Amadeo Bordiga et celle qui est liée au groupe terroriste et à la revue *Ordine Nuovo*, dont la référence est Antonio Gramsci, créent alors le Parti communiste d'Italie. Lors des élections qui se tiennent quelques mois plus tard, les socialistes (en recul) remportent 122 sièges et les communistes, tout juste 15. La division des partis ouvriers italiens et leurs positions faibles et incohérentes ont joué un

rôle important et facilité la montée du fascisme. En 1923, un groupe dirigé par Serrati abandonne le PSI et entre au PCd'I, mais la répression mussolinienne et l'instauration d'un régime contrôlé par le seul parti fasciste (1924-1925) oblige le mouvement ouvrier dans sa globalité à entrer dans la clandestinité. Entre mille difficultés et au prix de lourds sacrifices (condamnations, incarcérations, relégation), le Parti communiste tente de maintenir sur pied une organisation clandestine dans tout le pays, même si le nombre de ceux qui sont condamnés à l'exil politique (des communistes, des socialistes, des syndicalistes et même des libéraux) est bien plus élevé. En Grande-Bretagne, en Hollande, au Danemark, en Belgique et en Autriche, les partis communistes ne progressent pas. Ils restent de petites formations sans poids

politique et syndical réel, malgré leurs tentatives d'exercer une quelconque influence sur les partis socialistes et travaillistes, au nom de leurs liens avec l'Union soviétique. En Bulgarie, le Parti communiste, devenu rapidement une organisation de masse profondément ancrée dans la société, assiste immobile – pour des raisons politiques – au coup d'État de 1923, avant de préparer une insurrection qui échouera et lui vaudra la clandestinité. C'est le début d'actions terroristes qui vont déclencher une répression encore plus sanglante. Dans les années trente, bien que déchiré par des dissidences intestines et un sectarisme permanent, le mouvement communiste parvient à exercer de nouveau une influence sur les masses.

Le lien avec l'URSS et l'adhésion aux positions staliniennes sont, pour les partis communistes, l'occasion de vérifier et de légitimer les groupes dirigeants.

## LE RÔLE DU **PCUS** ET LA BOLCHÉVISATION

En juin-juillet 1924, le Vᵉ Congrès du Komintern marque le début de la « bolchevisation » de l'Internationale communiste, avec l'obligation faite aux partis adhérents de se libérer des groupes et des dirigeants favorables à des positions opportunistes « de droite » ou déviationnistes « de gauche », c'est-à-dire de tous ceux qui n'épousent pas complètement – et passivement – les thèses soviétiques. De nombreux dirigeants fondateurs de partis communistes (Frossard, Souvarine et Monatte en France, Nin en Espagne, Brandler et Ruth Fischer en Allemagne, Bordiga et Silone en Italie) sont exclus quand ils revendiquent pour leur parti la liberté et le droit de critique, ainsi que l'autonomie d'action. Une autre raison de leur exclusion est qu'ils refusent des analyses et des appréciations, souvent changeantes, qui ne leur semblent pas tenir compte de la nouvelle réalité politique et sociale européenne.

**VERS L'ORIENT**
La présidence du Congrès des peuples d'Orient, qui s'est tenu à Bakou en 1920. Au centre, Zinoviev, président de l'Internationale (ci-contre).

**DES STEPPES DE LA MONGOLIE...**
Un délégué au congrès de Bakou (en bas, à gauche).

**... À L'ASIE CENTRALE**
Dans les républiques asiatiques, des affiches annoncent le Congrès des peuples d'Orient (en bas, à droite).

Les partis « bolchevisés » doivent être prêts à combattre le fascisme et à s'opposer plus vivement à la social-démocratie, considérée comme le rempart ultime – et le plus dangereux – du capitalisme. Entre 1925 et 1928, l'hypothèse d'une stabilisation « relative » du capitalisme – qui, dit-on, devrait permettre aux partis communistes de conquérir le soutien des masses – se fraie un passage. Mais tout de suite après, on constate un durcissement de la lutte de classes, préfigurant l'aggravation de la « crise générale » du système capitaliste qui a débuté avec la Première Guerre mondiale.

## À MOSCOU, LES REGARDS SE TOURNENT VERS L'ASIE ET LA CHINE

Dès septembre 1920, à l'occasion du Congrès des peuples (opprimés) d'Orient de Bakou, l'Internationale communiste suit avec une attention constante les possibilités révolutionnaires en Asie et le rôle des luttes contre le pouvoir colonialiste. La conviction que même en Occident l'avenir de la révolution pourrait se révéler plus long et incertain place la « question coloniale » au cœur des débats du Komintern, du moins à partir de 1922.

En revanche, en 1921, à l'occasion du IIIᵉ Congrès, et malgré les importantes expériences historiques dont le monde est alors témoin (reprise du nationalisme révolutionnaire en Chine, révolution d'Atatürk en Turquie, lutte progressiste de Reza Khan en Iran et expansion du mouvement anti-britannique en Inde), la question du colonialisme ne suscite pas un grand intérêt. Les choix opérés par Moscou, au nom de ses propres intérêts nationaux et internationaux (l'accord commercial avec l'Angleterre et le traité d'amitié avec la Turquie) auraient pu s'avérer incompatibles avec les exigences du front révolutionnaire anticolonial. Du reste, Londres exige

**LA CHINE EN EFFERVESCENCE**
Sun Yat-sen, le fondateur du Parti révolutionnaire nationaliste de Chine, le Guomindang, à bord d'un train, symbole de la modernisation qu'il préconise pour le pays (ci-contre).

**LE SOUVENIR DES RACINES HISTORIQUES**
Cette affiche commémore la Commune de Paris et Karl Marx, divinité tutélaire et grand inspirateur de la révolution chinoise (en bas).

que la propagande communiste dans ses colonies se calme, tandis qu'Atatürk signe le pacte d'amitié, mais après avoir fait assassiner le groupe dirigeant du Parti communiste turc. Au cœur de la stratégie du Komintern dans les colonies, ou dans les pays indépendants dits « arriérés », apparaît la nécessité de contracter des alliances avec les bourgeoisies nationales. En janvier, le Congrès des organisations révolutionnaires d'Extrême-Orient ouvre la voie à l'accord entre le Parti communiste chinois (PCC) – né sept mois plus tôt – et le Guomindang, le parti nationaliste-révolutionnaire dirigé par Sun Yat-sen. Ce pacte est d'ailleurs réaffirmé au IV$^e$ Congrès du Komintern, qui se tient cette même année. Certaines personnalités, dont la plus importante est l'Indien M.N. Roy, considèrent que la politique de collaboration avec le nationalisme bourgeois a été trop loin, et elles suggèrent d'envisager différemment les diverses expériences (Inde, Chine, Turquie, Indonésie) classées sous l'étiquette de « question coloniale » qui leur confère une orientation stratégique identique et rigide. Au IV$^e$ Congrès, on évoque également, pour la première fois, la possibilité d'un processus

COMMUNE DE PARIS

**NAISSANCE DU COMMUNISME AU JAPON**
Des émeutes dans les rues de Tokyo, vers le milieu des années vingt (ci-contre).

**APRÈS LA DISSOLUTION DU PARTI**
Affiche de propagande pour le 1er mai 1930 (à droite).

révolutionnaire sur le continent africain, même si c'est dans le cadre de ce que l'on appelle la « question noire » et que cela concerne plus particulièrement les États-Unis. C'est donc en Chine que la stratégie du Komintern semble donner les meilleurs résultats. L'Internationale reconnaît l'importance fondamentale de la « question paysanne », ainsi que la priorité de l'unification et de l'indépendance nationale face à l'introduction des soviets, pour laquelle les conditions objectivement favorables ne sont pas réunies. C'est justement pour cette raison que les membres du Parti sont invités à entrer individuellement dans le Guomindang, reconnu comme « force centrale de la révolution nationale ».

Une tentative analogue a échoué en Indonésie, à cause du caractère religieux du parti nationaliste local, le Sarekat Islam, qui n'accepte pas les inscriptions de militants possédant deux cartes de partis différents. Les communistes

parviennent à provoquer une scission, créant un parti paysan, le Sarekat Rakjat, placé sous leur contrôle. En revanche, les rapports entre les communistes et les nationalistes turcs se sont conclus de façon plus tragique. Malgré l'appui de Moscou au régime d'Atatürk, ce dernier intensifie sa politique répressive vis-à-vis des communistes turcs, victimes de la contradiction entre les intérêts nationaux de l'URSS et la ligne stratégique hésitante du Komintern. Une fois évanoui l'espoir de faire du Japon industriel le cœur de l'expansion révolutionnaire en Asie – le Parti communiste japonais s'est dissous en 1924, après que le mouvement ouvrier a été réprimé par le gouvernement –, la Chine demeure le pays de référence pour l'extension du communisme sur ce continent. L'étroite collaboration avec le Guomindang, concrétisée avec l'envoi de conseillers soviétiques en Chine, semble se poursuivre après la mort de

## LA DÉFAITE DU COMMUNISME CHINOIS

Bien que le IIe Congrès du Guomindang, en janvier 1926, ait affirmé, lui aussi, l'alliance avec les communistes, le Parti est désormais soumis au pouvoir de l'Armée nationale révolutionnaire, qui obéit au commandant de l'Académie militaire, Tchang Kaï-chek (Jiang Jieshi). Celui-ci veut proclamer son gouvernement de Guangzhou gouvernement national, et commencer ensuite une

campagne militaire pour réunifier toute la Chine sous son contrôle. Les réserves exprimées par les communistes lui servent de prétexte pour relativiser leur rôle et écarter les conseillers soviétiques. L'expédition remporte immédiatement de grands succès, malgré les révoltes paysannes contre les propriétaires et les notables, qui finissent toutefois par radicaliser le conflit au sein du Guomindang. Ces jacqueries donnent à Mao Zedong l'idée de placer le monde paysan au cœur de la stratégie

révolutionnaire, et cela malgré l'orthodoxie marxiste, qui considérait cette population comme conservatrice. Quand l'armée de Tchang Kaï-chek arrive à Shanghai, les ouvriers sont déjà en grève depuis plusieurs jours ; organisés en pouvoir autonome, ils ont empêché le « seigneur de la guerre » local de préparer la résistance contre les troupes nationalistes. L'alliance entre

la commune de Shanghai et les troupes de Tchang Kaïchek est de courte durée : ces dernières, applaudies par les industriels, les puissances occidentales et la mafia, entreprennent immédiatement une chasse aux communistes et mettent les syndicats hors la loi. Des milliers de communistes sont assassinés et en 1928, le phénomène s'étend à de nombreuses

Sun Yat-sen (mars 1925), dont le testament indique l'alliance avec le mouvement communiste comme étant la voie maîtresse vers l'émancipation du pays. Toutefois, tout se passe à l'inverse de ce que l'Internationale avait envisagé. Le commandant militaire du Guomindang, Tchang Kaïchek, opposé à l'alliance avec les communistes et favorable, en revanche, à un nationalisme intégral, parvient à s'imposer dans le mouvement, dont il exclut inexorablement toute force progressiste. La répression de la révolte de Shanghai et des insurrections de 1927 marque la fin de l'alliance et la défaite de la stratégie communiste.

## LA CHINE :
## LA LONGUE MARCHE DES COMMUNISTES

Vers la moitié de l'année 1934, la « base rouge » du Jiangxi est encerclée par les troupes nationalistes de Tchang-Kaï-chek, qui l'assiègent. Les dirigeants communistes décident d'abandonner la région. Les communications avec l'Union soviétique sont déjà interrompues et les hommes de Zhu De, de Chou En-lai et de Mao Zedong ne peuvent plus compter que sur leurs propres forces. Ils décident alors de briser l'encerclement par le Sud-Ouest : la retraite est coordonnée par Chou En-lai, qui commande les troupes de Lin Biao et de Peng Dehuai (28 000 hommes, équipés seulement de 9 000 fusils, 30 mortiers et 300 mitrailleuses). Ils sont suivis par deux colonnes constituées par le personnel de la « base rouge », dont seuls quelques milliers d'hommes sont capables de combattre, et, tout à fait à l'arrière et sur les côtés, par des groupes d'hommes encore moins armés. En tout, 80 000 combattants, chacun avec sa ration de riz et de sel pour deux semaines. Parmi eux, également, 35 femmes, dont la seconde épouse de Mao Zedong, alors enceinte, et

autres localités où le Parti a décidé de soutenir les insurrections. La tentative de fonder la commune de Guangzhou, au cœur même du pouvoir du Guomindang, s'achève dans un bain de sang. Le Komintern, qui a donné son aval à la décision de Staline de maintenir à tout prix l'alliance avec le Guomindang et d'éviter une politique révolutionnaire autonome, n'est pas capable de tirer les leçons et de faire son autocritique après la défaite sanglante. La rigoureuse obéissance à Moscou est le premier principe à observer pour les partis communistes qui veulent adhérer au mouvement révolutionnaire international, mais derrière son nouveau leader, Mao Zedong, le PCC prouvera, quelques années plus tard, que l'autonomie peut, justement, garantir le succès.

# MAO ZEDONG

Converti au marxisme depuis peu, Mao Zedong est un des treize hommes qui ont fondé le Parti communiste chinois, en 1921. Représentant du groupe du Hunan, où il était engagé depuis longtemps avec les étudiants et où il s'était distingué dans le monde syndical en participant à des émeutes et à des protestations contre les « seigneurs de la guerre » et contre le Japon, Mao se rend à Canton et à Shanghai, où il travaille pour le Guomindang et pour la révolution démocratique. En 1927, alors que la commune de Shanghai est réprimée dans le sang, il retourne au Hunan afin d'organiser les paysans, qu'il engage, cette même année, dans une insurrection, sans succès. S'exprimant à plusieurs reprises contre les positions de la direction du Parti, qui suit les caprices de Staline, lequel applique une politique d'alliance avec les nationalistes du Guomindang, pour ensuite s'y opposer, Mao fédère de nouveau les paysans pauvres en 1929, réunit des militants communistes qui fuient les troupes nationalistes et s'établit à la frontière entre le Jiangxi et le Fujian. Dans les environs de la ville de Ruijin, il met en place une des « bases rouges » les plus stables et fortifiées, le soviet du Jiangxi, qui vivra jusqu'en 1935, à la veille de la Longue Marche.

Après la victoire sur le Japon et le Guomindang, Mao se retrouve à la tête de la République populaire de Chine, qu'il dirige d'abord sur le modèle soviétique, en y greffant toutefois, dès le début, quelques éléments proprement chinois, qui seront d'ailleurs de plus en plus marqués à partir de la moitié des années cinquante.

Particulièrement doué pour impliquer les masses appelées à le soutenir dans ses luttes difficiles au sein du Parti, Mao cultive, à la fin de son « règne » – il mourra en 1976 –, un culte de la personnalité peut-être encore plus visible et excessif que celui de Staline.

### LE GRAND TIMONIER

Mao s'adresse aux étudiants de l'université de Yanan, en 1937, après le début de l'agression japonaise (à gauche).

L'effigie de Mao Zedong, en guide spirituel et politique du peuple chinois, trône dans cet atelier de tapisserie (en haut).

La statue de Mao dans la ville industrielle de Wuhan, province du Hubei (ci-contre).

**À TRAVERS LA CHINE**
Cette carte montre le parcours
et les étapes de la Longue Marche
(en bas, à gauche).

**L'ÉTOILE ROUGE SUR LA CHINE**
Le journaliste américain Edgar
Snow avec Mao Zedong,
pendant la Longue Marche
(en bas, à droite).

**LE PRIX À PAYER**
L'historien officiel de la Longue
Marche, Hsu Cheng Chiu, qui
perdit les deux pieds pendant
l'hiver 1934 à la suite de gelures
(ci-contre).

la quatrième femme de Zhu De. Les autres ont été abandonnées dans la région du Jiangxi, avec 28 000 hommes – dont 20 000 blessés – chargés d'organiser le plus possible la guérilla contre l'armée nationale. La fuite du Jiangxi commence la nuit du 16 octobre 1934. Personne n'imagine que la marche va durer un an et se terminer après le 20 octobre 1935, dans la province du Shaanxi, à quelque 9 000 kilomètres. Fuyant les troupes nationalistes, auxquelles ils sont parfois directement confrontés, les soldats communistes occupent les bourgades du Hunan et du Guangxi le temps de se reposer et de se ravitailler, avant de poursuivre leur marche.

En janvier 1935, la ville de Zunyi – qui sera occupée plus longtemps – accueille une conférence entre leaders politiques et militaires du Parti et le représentant du Komintern, Otto Braun. À l'époque, la politique défensive du Jiangxi est critiquée et on lui préfère une « guerre de mouvement », dont le principal partisan est Mao Zedong, figure nouvelle du Parti qui jouera bientôt un rôle militaire comme assistant – puis remplaçant – de Chou En-lai. Cette armée traverse montagnes et fleuves, en évitant les nationalistes et les troupes éparpillées des « seigneurs de la guerre » de plusieurs provinces. Bombardés par l'aviation du Guomindang, poursuivis par les Tibétains, les militants arrivent, en juin, au nord du Sichuan, mais leurs effectifs ont diminué de moitié. C'est là que les rejoignent quelque 50 000 soldats communistes commandés par Zhang Guotao et provenant de l'Est. En désaccord sur la stratégie à suivre, Mao et Zhang parviennent à un compromis et partagent les troupes en deux. Mao décide de se rendre vers le nord et l'est, en direction du Shaanxi et du Ningxia, tandis que Zhang essaie de construire une « base rouge » entre le Sichuan et le

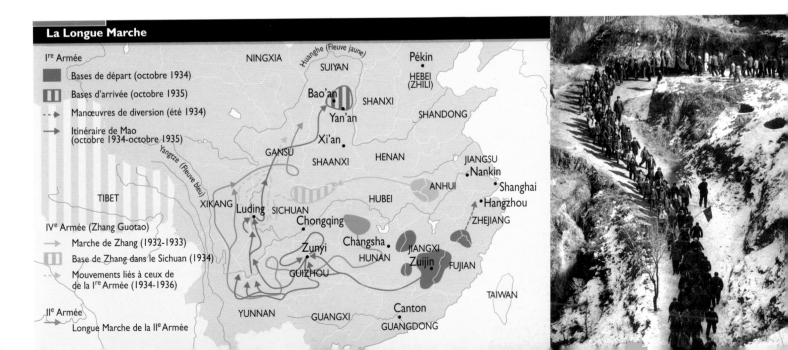

**La Longue Marche**

Iʳᵉ Armée
■ Bases de départ (octobre 1934)
▥ Bases d'arrivée (octobre 1935)
⇢ Manœuvres de diversion (été 1934)
→ Itinéraire de Mao (octobre 1934-octobre 1935)

IVᵉ Armée (Zhang Guotao)
→ Marche de Zhang (1932-1933)
▥ Base de Zhang dans le Sichuan (1934)
⇢ Mouvements liés à ceux de la Iʳᵉ Armée (1934-1936)

IIᵉ Armée
Longue Marche de la IIᵉ Armée

NINGXIA — Huanghe (Fleuve jaune) — SUIYAN — Pékin — HEBEI (ZHILI) — Bao'an — SHANXI — Yan'an — SHANDONG — Xi'an — GANSU — SHAANXI — HENAN — JIANGSU — Nankin — ANHUI — Shanghai — Hangzhou — Yangtze (Fleuve bleu) — TIBET — XIKANG — Luding — SICHUAN — HUBEI — ZHEJIANG — Chongqing — Zunyi — Changsha — JIANGXI — Zuijin — FUJIAN — GUIZHOU — HUNAN — TAIWAN — YUNNAN — GUANGXI — Canton — GUANGDONG

**LES PRINCIPAUX ACTEURS**
Mao Zedong, à droite, à côté
de Zhu De, Chou En-lai et
Qin Bangxian (ci-contre).

**LES LIEUX DE L'ÉPOPÉE**
De jeunes pionniers parcourent
le tracé historique vers la ville
de Yanan (en bas, à gauche).

**ADOLF, LE SURHOMME**
Montage photographique de John
Heartfield : l'or qui a permis au
Führer de s'emparer du pouvoir
(page de droite, à gauche).

Xi Jiang. En octobre, après avoir traversé la rive occidentale
du fleuve Jaune et les montagnes Liupan, les hommes de
Mao retrouvent les soldats communistes du Shaanxi du Nord.
Sur les 80 000 hommes présents au départ, il n'en reste plus
que 8 ou 9 000, auxquels s'ajoutent les survivants des colonnes
de Zhang et de Zhu De, décimées dans l'Ouest par les
nationalistes. Cette entreprise héroïque, qui revêt une
dimension et de mythe fondateur, ne parvient pas à cacher
l'isolement et la défaite des communistes. Mais cette défaite
a permis la naissance d'une nouvelle classe dirigeante et
d'une nouvelle politique. Dès le début de la guerre, avec
l'invasion japonaise de l'été 1937, la stratégie maoïste du
front unique antijaponais, mêlée à une révolution paysanne
« mobile », fera sortir les communistes de leur isolement et
leur permettra, en une dizaine d'années, d'organiser la
conquête du pouvoir.

## COMMUNUNISME ET DICTATURES FASCISTES

Les années du premier plan quinquennal n'ont pas valu que
sympathie à l'Union soviétique, elles ont aussi marqué le
début d'un enracinement plus profond des partis communistes, et un plus grand soutien des jeunes générations. La
conjoncture internationale des années trente, avec la crise
du capitalisme et l'avancée du fascisme en Europe, est telle
que l'adhésion au communisme est, certes, une option idéologique ou politique, mais aussi un véritable choix existentiel.
Les risques d'emprisonnement, d'exil, d'une vie passée dans
la clandestinité et de difficultés matérielles se mêlent aux
certitudes qu'apportent la discipline, mais aussi une identité
forte projetée dans l'Histoire et qui vit d'abord au présent,
tout en construisant une communauté solidaire.
Pour tous ceux qui entrent au Parti communiste, les raisons
et les liens émotifs sont aussi forts que les raisons politiques.

ADOLF, DER ÜBERMENSCH: *Schluckt Gold und redet Blech*

**LA CRISE DE WEIMAR**
Des enfants jouent avec des billets de banque qui n'ont plus aucune valeur (1930) (ci-contre).

**LA VIOLENCE, SOURCE DU NAZISME**
Le siège du Parti communiste de Berlin occupé par la police (mars 1933) (en bas, à gauche).

Une barricade dans les rues de Berlin (début juillet 1932), détruite par les chars de l'Armée (en bas, à droite).

Dans un monde qui se radicalise, à la fois sur le plan social et idéologique, les choix individuels sont, eux aussi, radicaux. Nombreux sont ceux qui comparent le communisme à une religion, à l'ordre jésuite ou à l'Islam. Cette dimension de religion politique ou de religion laïque explique certainement qu'à une époque d'incertitudes et de conflits, la propagande et l'activité politique du communisme remportent les succès que l'on sait et fassent naître un si grand nombre de prosélytes. Entre les années vingt et trente, l'Internationale communiste accentue son sectarisme et son intégrisme. La crise du capitalisme et la lutte contre les ennemis du socialisme (en URSS) se mêlent dans une analyse confuse et dangereuse. On envisage une issue révolutionnaire et, en même temps, une fascisation rapide de la social-démocratie. On attribue souvent à cette dernière le terme de « social-fascisme », tandis que l'on encourage la tactique « classe contre

classe », dans laquelle les communistes s'opposent à un vaste front unissant les partis socio-démocrates, les libéraux et les fascistes. En 1931, on en arrive à assimiler la dictature du prolétariat à l'objectif du Parti communiste allemand, et on identifie le fascisme et la social-démocratie. Deux mois après la prise du pouvoir par Hitler, en avril 1933, le Komintern pense que cet événement ne fait qu'accélérer le processus de révolution prolétarienne. Les responsabilités des communistes allemands, qui n'ont opposé aucune résistance à la montée du nazisme, sont énormes, autant que celles du Parti socialiste et des formations démocratiques et libérales. La tactique de l'Internationale a donc isolé son organisation la plus forte et a brisé, également, le Parti communiste italien, obligé d'accepter la prévision d'une issue révolutionnaire imminente, avec le retour massif dans le pays de nombreux dirigeants, cadres et militants. À partir de 1929 sont exclus

# GRAMSCI

Jeune Sarde immigré à Turin, où il fait des études universitaires de lettres, Antonio Gramsci s'inscrit au Parti socialiste en 1913 et en devient le secrétaire local quelques années plus tard. Attiré par la révolution russe, non sans en dénoncer les contradictions et les difficultés, il essaie d'orienter les luttes du prolétariat turinois vers une politique révolutionnaire cohérente avec le climat européen de l'après-guerre. Le 1er mai 1919, il fonde la revue *Ordine Nuovo* et place les comités d'usines au cœur d'une stratégie possible de conquête du pouvoir en Italie ; il les considère comme des lieux d'éducation du prolétariat italien et de formation de sa conscience de classe. En janvier 1921, il compte parmi les partisans de la scission de Livourne et participe à la fondation du Parti communiste d'Italie, dont il devient immédiatement un des leaders les plus compétents et estimés,

apprécié par Lénine lui-même pour son expérience des conseils, qui rappelait celle des soviets russes. La victoire du fascisme complique la stratégie du petit Parti communiste, qui a du mal à trouver une ligne politique apte à impliquer les autres forces anti-fascistes. Élu député en 1924, l'année où il entre également dans l'exécutif de l'Internationale communiste, Gramsci s'engage dans la lutte contre les tendances sectaires et intransigeantes du secrétaire Bordiga, auquel il succède après avoir imposé ses thèses au congrès de Lyon (1926).

Critique du PCUS et du Komintern, ou plus exactement de leur façon de combattre les « oppositions » (de Trotski, en premier lieu), Gramsci est obligé de diriger le Parti de la cellule où, malgré son immunité parlementaire, il est incarcéré à partir de novembre 1926. En 1928, il est condamné à vingt ans de prison. Isolé à Trani, il essaie d'inspirer une politique plus ouverte et courageuse que celle – sectaire et inefficace – du Komintern et de Togliatti, et il entreprend le travail d'analyse de la réalité et de l'histoire sociale et culturelle italienne qui sera la

base de ses *Lettres de prison*. Minoritaire au sein du Parti à l'époque du stalinisme triomphant, il vit dans l'isolement sa condition de prisonnier, dont personne – ni l'URSS ni la direction du Parti italien – n'essaiera vraiment de le sortir. Hospitalisé pour des problèmes de santé de plus en plus graves, il obtient la liberté conditionnelle en octobre 1934, au moment où le fascisme culmine, avant de s'engager dans la guerre d'Éthiopie. Sans jamais avoir pu se rétablir, il meurt, en 1937, dans une clinique romaine, où il était sous constante surveillance.

Document glorifiant Gramsci, diffusé après sa mort (à droite).

Carte du PCI à l'époque de la clandestinité (à gauche).

Angelo Tasca (représentant italien auprès de l'Internationale), le fondateur du Parti Amadeo Bordiga, les responsables de la presse illégale, du mouvement syndical et de l'organisation (Leonetti, Ravazzoli et Tresso) ; quant à Gramsci, il est isolé et marginalisé, et sa nette opposition à la politique du Parti, que Togliatti aligne aussitôt sur les positions de Staline, lui vaut d'être emprisonné. Au début des années trente, grèves et luttes ouvrières se multiplient et sont liées essentiellement aux conditions économiques et sociales difficiles, ainsi qu'aux menaces pesant sur la démocratie, considérées comme un obstacle à la révolution par le Komintern. En 1934, les ouvriers autrichiens tentent, à leur tour, une insurrection contre la dictature de Dollfuss, tandis que les mineurs des Asturies se révoltent contre un gouvernement qui a supprimé les réformes et l'autonomie que la toute nouvelle république espagnole avait instaurées trois ans plus tôt. En France aussi, le mouvement ouvrier semble sortir de sa torpeur et se mobilise contre une tentative de coup de force fasciste. Désormais, l'Europe est largement gouvernée par des régimes fascistes ou par des dictatures ; c'est le cas de l'Italie, de l'Allemagne, de l'Autriche, de la Hongrie, de la Bulgarie, de la Pologne et de la Roumanie. L'Internationale, en retard, et après de tragiques erreurs, réalise qu'il est temps de changer de tactique.

## LES FRONTS POPULAIRES

Les militants et sympathisants du communisme et de la social-démocratie, dont une bonne partie a compris les conséquences catastrophiques des divisions et des oppositions frontales, demandent des initiatives unitaires contre le fascisme (là où il menace ou est déjà au pouvoir). L'Internationale communiste sent la gravité de la situation et, parallèlement à l'offensive de l'État soviétique qui veut stipuler des accords

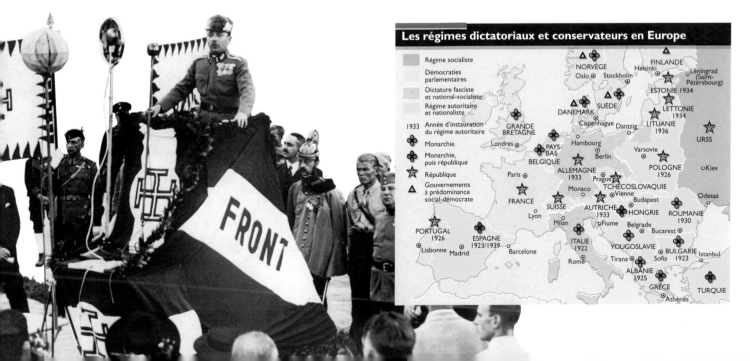

**LES FRONTS POPULAIRES**
Les ouvriers des usines Delahaye, à Paris, débrayent en juin 1936 (ci-contre).

**DEVANT LE MUR DES FÉDÉRÉS**
Le Premier ministre du Front populaire français, Léon Blum, assiste à la commémoration de la Commune de Paris, en 1936, en compagnie de dirigeants socialistes et syndicaux (en bas).

avec les démocraties libérales, lance le mot d'ordre du « Front populaire » à l'été 1935, à l'occasion de son VIIᵉ Congrès, qui se tient à Moscou. La lutte contre le fascisme est désormais la première des priorités des communistes, qui peuvent maintenant contracter des alliances avec les socialistes et se mobiliser en faveur de la démocratie « bourgeoise ». Les deux pays où cette tactique de « Front populaire » remporte le plus de succès sont la France et l'Espagne, mais avec des résultats très différents de part et d'autre des Pyrénées. En France, une coalition électorale voit le jour, comprenant des communistes, des socialistes et des radicaux (parti centriste de majorité), et des dizaines d'organisations de base, syndicats, associations professionnelles, y adhèrent et poussent pour une action plus unitaire. Le 3 mai 1936, 378 députés sont élus au parlement avec le Front populaire, contre 220 représentants de la droite. Le socialiste Léon Blum est appelé à la tête du gouvernement ;

son parti jouit d'une majorité relative, mais il est appuyé de l'extérieur par les communistes, qui lui laissent une plus grande marge de manœuvre et évitent ainsi d'effrayer l'électorat modéré. L'enthousiasme suscité par cette victoire électorale et l'espoir de changements socio-économiques rapides font exploser une protestation populaire sans précédent : des grèves se multiplient dans tout le pays et se transforment vite en occupations généralisées des usines. Il ne s'agit pas d'un prélude à la révolution, mais cela montre bien l'ampleur de la participation au Front populaire et de l'adhésion spontanée à un programme de transformations plus radicales et incisives. Les accords syndicaux qui mettent fin – non sans difficultés et accusations de compromis – à cette vague de protestations accordent aux travailleurs des avantages très importants (congés payés, réduction du temps de travail, assurance sociale et prévoyance, droits syndicaux),

## LES BRIGADES INTERNATIONALES

Après s'être distinguées dans la défense de Madrid, les Brigades comptent 40 000 hommes de tous bords, même si les communistes sont les plus nombreux et les mieux organisés, grâce à l'aide du Komintern. Elles comptent aussi beaucoup d'anarchistes et de révolutionnaires qui ne sont inscrits à aucun parti, notamment de nombreux écrivains et artistes, dont certains trouveront la mort au combat. Au commandement

mais rétablissent aussi une certaine normalité française, avec son cortège de partis, de crises et de successions de gouvernements. Le choix des radicaux de revenir à une alliance conservatrice marque la fin de l'expérience du Front populaire et renvoie les socialistes et les communistes dans les rangs de l'opposition. De nombreux acquis sont abolis, mais le climat a changé : le Front populaire a fait souffler sur le pays un vent de dynamisme et de modernisation, attendu depuis longtemps. En Espagne aussi, la coalition électorale de gauche remporte la victoire, en février 1936. Les communistes ne forment encore qu'un petit parti, moins bien enraciné dans la société que les socialistes, et surtout que les anarchistes, qui ont enfin abandonné leur politique traditionnelle d'abstentionnisme, ce qui a permis la victoire électorale. L'Espagne est un pays partagé en deux, non seulement sur le plan politique, mais aussi sur le plan social et idéologique,

et la démocratie est encore trop récente et fragile pour faire face aux nostalgiques de l'autorité des années précédentes. Le 17 juillet 1936, un groupe de généraux – notamment Franco, Mola et Sanjurjo – lance un *pronunciamiento* ; la mutinerie des militaires en poste au Maroc et dans quelques régions de l'ouest du pays tente de renverser le gouvernement légitime. C'est le début de la guerre civile qui, face à la neutralité de la France et de la Grande-Bretagne, qui refusent de venir aider la démocratie, ensanglantera le pays pendant plus de trois ans et se soldera par la victoire des putschistes et du régime autoritaire parafasciste du général Franco, soutenu, il est vrai, par les avions et les soldats de Hitler et de Mussolini. Les interventions de l'armée restée fidèle à la République seront vaines, comme, du reste, la participation et la souffrance de la population civile et des volontaires accourus des quatre coins du monde.

du bataillon Garibaldi, qui regroupe la plupart des volontaires italiens, Carlo Rosselli, un dirigeant de Giustizia e Libertà, lance le slogan : « Aujourd'hui en Espagne, demain en Italie », car il voit dans cette guerre un prélude à la lutte européenne contre les fascismes. Toutefois, la guerre civile exacerbe les tensions et les conflits dans le camp des républicains quand l'aide militaire soviétique, proposée en échange de l'or de la Banque d'Espagne, renforce le rôle du petit Parti communiste espagnol, au

détriment des autres groupes révolutionnaires. À Barcelone, en mai 1937, des anarchistes et des partisans du POUM (Parti ouvrier d'unification marxiste, d'inspiration trotskiste) sont liquidés par les troupes liées aux Partis communiste et socialiste. Les hommes du Komintern et les agents de la Guépéou présents dans les Brigades internationales accusent les tenants de positions autonomistes et révolutionnaires d'être des agents du fascisme. Des procès sont alors organisés, sur le modèle

soviétique, et feront beaucoup de victimes. Parmi celles-ci, mentionnons l'ancien dirigeant de l'Internationale Andrés Nin et l'anarchiste Camillo Berneri, qui avait révélé la responsabilité du consul russe dans les massacres de Barcelone. À la fin de l'année 1938, sous la pression des gouvernements européens, les volontaires internationaux seront retirés du front. Néanmoins, leur

présence a suffi à donner au conflit un caractère international et à en faire un combat explicite entre le fascisme et l'anti-fascisme.

# VERS LA GUERRE FROIDE

En une dizaine d'années, le communisme s'est profondément transformé. Si, en août 1939, la signature du pacte de non-agression entre l'Union soviétique et l'Allemagne nazie nuit considérablement à son image, en deux ans, après l'attaque allemande, l'alliance avec les États-Unis et la Grande-Bretagne lui permet de retrouver rapidement un nouveau consensus, avec même de véritables moments d'exaltation après la victoire de Stalingrad. Dès la fin de la guerre, la naissance d'un vaste secteur socialiste en Europe centrale et orientale est très importante pour le mouvement communiste qui, à cette même époque, gouverne un pays immense et d'importance cruciale, sur le plan stratégique, de par sa position au cœur du continent. L'expansion du communisme a encore plus de succès en Asie, avec la victoire de la révolution chinoise guidée par Mao Zedong et l'instauration de régimes socialistes en Corée du Nord et au Viêt Nam du Nord.

## LE COMMUNISME PORTÉ PAR LA GUERRE

En Europe, c'est la guerre, et non pas la révolution, qui élargit le territoire couvert par le communisme. Si l'on exclut l'expérience yougoslave – qui prendra vite ses distances par rapport à Moscou –, tous les nouveaux régimes ont été imposés par l'Armée rouge, et non par la victoire d'une quelconque insurrection de type soviétique.

En Asie, c'est la guerre – comme cela a été le cas pendant le premier conflit mondial – qui permet la victoire des communistes chinois. Cela donne une révolution encore moins orthodoxe – si l'on se réfère à la doctrine marxiste – qu'en Russie. En effet, c'est une révolution de la paysannerie, dans un pays où la très grande majorité de la population appartient aux classes rurales et où le Parti communiste veut réaliser le socialisme, non pas contre elles, mais avec elles. Au début de la guerre, après que les Allemands ont envahi la Pologne, les communistes se trouvent dans une situation contradictoire et difficile. Ils doivent attendre et justifier comme ils peuvent les positions de l'URSS dans les pays qui ne sont pas encore concernés par le conflit, et lutter et participer à la résistance dans les pays qui, l'un après l'autre, subiront le sort tragique de la Pologne. Et ce sont justement ces conditions difficiles dans lesquelles ils ont été mis par Moscou qui poussent souvent les partis communistes à insister sur leur engagement patriotique et à adhérer à la mobilisation. Néanmoins, des militants – relativement nombreux – choisissent de quitter le Parti, notamment quelques intellectuels connus et politisés, comme Arthur Koestler, Paul Nizan, Leo Valiani et, surtout, Willy Münzenberg, l'homme qui, pour le compte du Komintern, avait créé et dirigé le dispositif de propagande de l'Internationale, dans les années trente. Une des situations les plus paradoxales est celle des

**LE MASSACRE DE KATYN**
Ces officiers allemands sont tout près de l'endroit où ont été découverts les cadavres des officiers polonais massacrés (1943) (ci-contre).

**L'INCULPATION**
En 1952, la Commission internationale d'enquête examine les restes de la fosse commune (à gauche).

communistes polonais qui, nombreux, se sont réfugiés dans l'est du pays, occupé par l'URSS, en vertu des clauses secrètes du pacte Molotov-Ribbentrop. Pendant les opérations, 15 000 officiers polonais qui ont rendu les armes se retrouvent dans les camps soviétiques. Ils seront assassinés quelques mois plus tard. En 1943, les Allemands retrouveront plus de 4 000 corps dans une fosse commune à Katyn, près de Smolensk, et les Soviétiques essaieront de leur faire endosser le massacre. Dans certains cas, les communistes collaborent activement avec les forces d'occupation, dans d'autres, ils sont pris dans le filet de la répression généralisée, déportés en URSS et relégués en Asie centrale et en Sibérie, où 1,5 million de Polonais remplissent déjà les camps de travail soviétiques. Mais le destin le plus tragique est certainement celui de nombreux communistes allemands exilés en Union soviétique et qui, dans l'intervalle entre le pacte germano-

soviétique et l'« opération Barbarossa », sont remis à la Gestapo en signe de bonne volonté. En 1941, l'invasion nazie de l'URSS – laquelle perd, en quelques semaines, pas moins de 600 000 prisonniers et des dizaines de milliers de morts, sans compter les centaines de kilomètres de son territoire abandonnées à l'ennemi – marque un tournant décisif, non seulement pour la conduite de la guerre, mais aussi pour les rapports entre les grandes puissances et le destin des communistes du monde entier. Tout d'un coup, l'URSS devient un allié très proche et essentiel de la Grande-Bretagne et des États-Unis, et elle va lutter à leurs côtés contre le nazisme afin de libérer l'Europe du joug de la violence et de la terreur. Plus de 10 millions de personnes sont évacuées entre 1941 et 1942, tandis que les Allemands déportent 4 millions d'hommes. Pour arrêter l'avancée nazie, Staline est obligé de laisser de côté la construction du socialisme et le projet

# MARGARETE BUBER NEUMANN

Inscrite dès 1921 aux Jeunesses communistes et membre important du KPD (Parti communiste allemand) depuis 1926, Margarete se rend, en 1931, en URSS avec son mari, Heinz Neumann, lui aussi membre de premier plan du Parti. Ce dernier, victime des purges de la Grande Terreur, est arrêté en 1937. Margarete est également envoyée, quelques mois plus tard, en Sibérie, où elle passe

deux années dans divers camps et prisons soviétiques. En 1940, elle compte parmi les communistes allemands qui, à Brest-Litovsk – entre la Pologne séduite par l'Allemagne et celle qui est occupée par l'URSS –, seront livrés par les officiers du NKVD, la police secrète de Staline, aux SS, qui l'interneront dans le camp de Ravensbrück. Après la guerre, elle se battra avec force pour dénoncer le système concentrationnaire soviétique, au nom des souffrances infligées égale-

ment aux détenus des camps nazis. Bien que beaucoup de communistes aient reconnu en privé le bien-fondé de ses déclarations, elle a été accusée de propagande anticommuniste.

**LE RETOUR DES DÉPORTÉS**
Retour à Paris des femmes internées à Ravensbrück, en avril 1945.

**STALINGRAD, LE PREMIER PAS VERS LA VICTOIRE**
Images de la bataille de Stalingrad entre 1942 et 1943.

Deux soldats allemands visent des francs-tireurs russes (ci-contre) ; à droite, la ville détruite.

Des hommes et des chars engagés dans l'opération qui finira par briser le siège au nord-ouest de la ville (en bas).

communiste, et il lance un appel au secours de la patrie en danger : il invite ses compatriotes à suivre les exemples d'Alexandre Nevski, qui, en 1245, arrêta les chevaliers Teutoniques, et du général Koutouzov, qui battit les armées de Napoléon. En novembre 1942, depuis Stalingrad, encerclée par les Allemands, qui convoitent le Caucase et la région de la Volga, les Soviétiques lancent la puissante contre-offensive qui va renverser la situation de toute l'Europe. Comptant parmi les auteurs de la victoire de Stalingrad, la Résistance russe a bloqué vingt-deux divisions allemandes, grâce à des actes de sabotage le long des lignes de chemin de fer et des voies de communication.

## LA RÉSISTANCE DES PEUPLES ARMÉS

Dans les pays occupés par l'Allemagne, la résistance armée contre les forces nazies reçoit un élan formidable après la victoire de Stalingrad. Celle-ci devient un symbole, et un mythe qui attire des milliers de jeunes Européens dans les rangs communistes. Dans de nombreux pays, les communistes sont majoritaires dans la Résistance ; en outre, ils sont les mieux organisés et les plus disciplinés, et donc tout à fait capables de s'infiltrer partout sur le territoire, afin de tisser un réseau de contacts stables avec les différentes formations de guérilla. Les Brigades Garibaldi en Italie, les Francs-Tireurs en France, l'Elas en Grèce et l'Armée pour la libération en Yougoslavie sont le fruit de ces organisations communistes qui prennent la tête de la Résistance dans tout le sud de l'Europe. C'est au cours de cette expérience, à la fois tragique et héroïque, qu'une nouvelle génération envisage une participation politique « totale », car elle trouve dans le communisme la réponse pragmatique idéale, utopique et disciplinée au besoin de transformation radicale intrinsèque

**L'ÉPÉE D'HONNEUR**
Offerte par George VI, elle porte cette inscription en anglais et en russe : « Aux citoyens au cœur d'acier de Stalingrad » (à gauche).

**RÉSISTANTS POUR LA LIBÉRATION**
Affiche des Francs-Tireurs et Partisans français (ci-contre).

FRANC-TIREURS et PARTISANS FRANÇAIS

pour le
PEUPLE de PARIS

**L'ARMÉE DES LIBÉRATEURS**
Des soldats de l'Armée rouge avancent dans Budapest, tout juste libérée (1945) (en bas, à gauche).

**LE COMMANDANT EN CHEF**
Le maréchal Tito, chef des forces de résistance yougoslaves, en juin 1944 (en bas, à droite).

à la lutte contre le nazisme. Ces milliers de jeunes ont des expériences fort différentes : certains sont nés dans les démocraties incertaines des années trente, d'autres dans les régimes fascistes et fascisants qui se sont multipliés partout en Europe à cette époque. Tous ont en commun la peur, la résignation et la douleur éprouvées au début de la guerre, mais aussi la volonté de s'affranchir, l'espoir, le courage qui les ont ensuite poussés à résister, et enfin l'audace et la détermination propres à la jeunesse. Cette génération va constituer les futurs groupes dirigeants qui, après la guerre, occuperont petit à petit la place de ceux qui, revenus de l'exil (souvent en Union soviétique), guideront la renaissance des partis communistes entre les années quarante et soixante. Elle va donner, aussi, les milliers de militants de base, de syndicalistes et d'intellectuels qui contribueront à faire du communisme – et pour la première fois de façon

stable – un phénomène mondial et une expérience de masse. Bien entendu, la réalité de l'Europe occidentale est différente de celle de l'Europe de l'Est, et celle des mouvements de résistance qui ont reconquis l'indépendance nationale sous la direction de la guérilla communiste, comme dans les Balkans, est différente de celle des peuples libérés par l'Armée rouge ou par les armées anglo-américaines. Quoi qu'il en soit, la Résistance se présente partout comme un phénomène hybride, mêlant un sens patriotique très fort, une volonté de lutter pour l'indépendance et une

PATIKA

**LE MYTHE DE STALINGRAD**
Affiche espagnole représentant Stalingrad comme « la nouvelle étoile de la liberté » (ci-contre).

**LA CONQUÊTE DE BERLIN**
Des soldats britanniques se reposent sous une immense photo des « trois grands » (Churchill, Roosevelt et Staline), le 14 juillet 1945 (à droite).

**LA LIBÉRATION**
Des résistants des formations Justice et Liberté, dans la Via Roma, à Turin (27 avril 1945) (en bas).

orientation sociale marquée par le désir de changer radicalement cette société et cette politique qui ont permis la montée du totalitarisme nazi et la catastrophe de la Seconde Guerre mondiale. À cela s'ajoute souvent un climat de guerre civile qui fait affleurer ou exacerbe un besoin de se venger chez les responsables des régimes fascistes et autoritaires, les collaborateurs et tous ceux qui se sont enrichis et ont profité de ce drame collectif. Contrairement à la génération des premiers militants communistes, qui a vécu avec le « mythe de la révolution », celle de la Résistance grandit avec celui de Stalingrad, symbole de la victoire militaire soviétique et du socialisme de l'URSS. Le monde communiste représenté par Staline n'est plus celui – contradictoire, difficile, conflictuel – du début de la IIIe Internationale, mais plutôt un bloc compact et cohérent, discipliné et robuste, qui donne de soi l'image d'une puissance destinée à s'étendre. Si le mythe de la puissance soviétique est indissociable de l'adhésion au communisme et de la conscience des nouvelles générations de militants, on peut en dire autant de l'aspiration à la liberté et à la démocratie qui, généralement, a été leur premier facteur de prise de conscience, de mobilisation et d'engagement. Ces deux sentiments sont profonds et sincères, même si l'attachement au Parti prévaut sur celui qui les lie aux institutions parlementaires et à l'État démocratique. Quand ces deux sentiments entrent en conflit, chaque choix individuel est accompagné de crises et d'incertitudes, même si le résultat est souvent une duplicité qui permet de vivre cette identité multiple dans une impression de cohérence.

## LE CAMP SOCIALISTE

Les accords signés à Yalta en février 1945 par les « trois grands » (Churchill, Roosevelt et Staline) sont souvent abu-

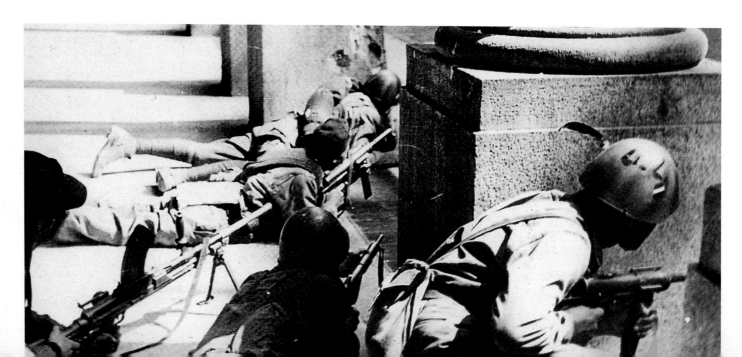

**LE COMMUNISME EN EUROPE
DE L'EST**
Réunion syndicale à Budapest
(1948) (ci-contre).

**ENCORE ENSEMBLE
DANS LA RUE**
Commémoration de la révolution
russe à Kazanlik, en Bulgarie
(novembre 1947). À gauche, les
portraits de Dimitrov, Staline
et Tito (en bas).

sivement interprétés par le maître de l'URSS comme un partage du monde en « sphères d'influence », sans comporter nécessairement la fin de l'alliance ou d'une rivalité positive entre les puissances qui ont gagné la guerre. Néanmoins, la fin de la guerre déclenche assez rapidement une opposition croissante qui va déboucher sur la « guerre froide », entre 1946 et 1947 : un conflit essentiellement idéologique et de propagande, accompagné par un grave durcissement politique et une intensification des dépenses militaires visant à entretenir une menace réciproque.

Les deux puissances victorieuses, États-Unis et URSS, construisent et renforcent, dans le cadre de leur sphère respective d'influence, deux blocs de pays alliés, prêts à soutenir leur hégémonie internationale et leur leadership mondial. Pour cela, elles doivent faire en sorte que leur camp soit le plus homogène et discipliné possible. Pour les pays d'Europe de l'Est libérés par l'Armée rouge et dont les gouvernements de coalition accordent des positions de premier plan aux communistes, la question n'est pas seulement le contrôle politique et militaire, mais aussi la profonde transformation économique et sociale. Staline, qui a fait des « garanties de sécurité » – un arrangement géo-politique empêchant toute possibilité d'agression allemande. En quelques

**LA RELÈVE**
Affiche de 1948 : Après la dictature nazie, la dictature communiste (ci-contre).

**TRAHISON ET SABOTAGE**
Le secrétaire du Parti communiste et le vice-président du Conseil Rudolf Slànsky, à Prague. Il sera exécuté en 1952 (à droite).

**L'ANNEXION DES PAYS BALTES**
En septembre-octobre 1940, les élections ne sont qu'une mascarade visant à légitimer le rattachement de la région à l'URSS (en bas).

mois, les gouvernements de coalition d'Europe centrale et orientale (Hongrie, Tchécoslovaquie, Pologne, Bulgarie et Roumanie) cèdent la place à des gouvernements à parti unique : la dictature des partis communistes s'impose par la force, abolissant lois et institutions démocratiques et reconstruisant l'État et l'économie (à travers des réformes agraires, la collectivisation des campagnes, la planification centralisée, etc.) sur le modèle soviétique de l'entre-deux-guerres. En Yougoslavie et en Albanie, qui se sont libérées seules, les communistes se sont immédiatement emparés du pouvoir. Le processus de construction du socialisme se fait ici de façon tout aussi autoritaire, mais avec davantage d'autonomie vis-à-vis de l'URSS.

En septembre 1947, la création du Kominform – Bureau d'information auquel participent les partis commu-

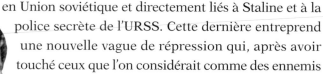

nistes des huit pays, plus le français et l'italien – formalise la naissance du « bloc » soviétique et le contrôle de plus en plus étroit que Moscou entend maintenir sur le mouvement communiste international. L'année suivante, en juin 1948, l'expulsion de la Yougoslavie, suite à la rupture entre Staline et Tito, entraîne encore un tour de vis dans les « démocraties populaires », comme on appelle dorénavant les pays gouvernés par les communistes. Au sein du camp socialiste disparaît ainsi toute forme d'autonomie – même partielle – vis-à-vis de Moscou. Les dirigeants qui ont conduit la Résistance contre les nazis sont alors remplacés par des hommes d'appareil – plus fiables – ayant séjourné longtemps en Union soviétique et directement liés à Staline et à la police secrète de l'URSS. Cette dernière entreprend une nouvelle vague de répression qui, après avoir touché ceux que l'on considérait comme des ennemis

# LE PACTE DE VARSOVIE

Signé le 14 mai 1955, le traité d'amitié, de coopération et d'assistance réciproque entre l'Union soviétique, l'Albanie, la Bulgarie, la Tchécoslovaquie, la Hongrie, la Pologne, la Roumanie et la République démocratique allemande est, formellement, une réaction à l'entrée de la République fédérale d'Allemagne dans l'OTAN. En réalité, c'est une façon de formaliser l'hégémonie de l'URSS sur tout le bloc socialiste, en créant une structure d'alliance plus disciplinée et performante, apte à s'opposer à l'OTAN dans le conflit politico-diplomatique et militaire qu'est la guerre froide. Conçu comme une autodéfense contre toute agression externe, le pacte de Varsovie est dirigé par les ministres de la Défense des pays membres. Il est établi pour une durée de vingt ans,

L'Europe après la Seconde Guerre mondiale

renouvelable automatiquement pour dix ans. À la fin des années cinquante, le processus d'intégration entre les armées des États membres s'accélère, sous la direction, certes, de l'URSS, qui, grâce au Pacte, peut maintenir des troupes soviétiques sur le territoire national des démocraties populaires. Au début des années soixante, l'application du pacte de Varsovie se modernise, surtout pour les

régiments de blindés, avec l'introduction de chars T-54 et T-55, d'artillerie semi-automatique et de systèmes de missiles à courte portée (SRBM – Short Range Ballistic Missiles) équipés de têtes conventionnelles, et enfin de chasseurs Mig-21. La mécanisation des régiments d'infanterie et les nouvelles divisions motorisées accroissent la force de frappe et les capacités militaires du Pacte en général. La mainmise absolue de Moscou sur l'appareil militaire

du Pacte et la subordination des armées nationales à l'état-major soviétique apparaissent dans toute leur clarté avec l'invasion de la Tchécoslovaquie, en 1968. Ce n'est qu'après la répression sanglante du Printemps de Prague que l'on décide – pour répondre aux exigences d'égalisation entre les pays membres – de formaliser le Comité des ministres de la Défense et le Conseil militaire, et d'inclure également des officiers non soviétiques dans l'état-major.

### DIPLOMATIE ET LEADERSHIP MILITAIRE

Léonid Brejnev à Varsovie pendant une réunion du Komintern (en haut, au centre).

Pour le 50e anniversaire de la révolution soviétique, un missile intercontinental défile sur la place Rouge (ci-dessous).

**LA FUITE DES NATIONALISTES**
Un officier de l'armée de Tchang Kaï-chek fuit Nankin avec sa famille, tandis que les troupes communistes approchent (avril 1949).

**UN PERSONNAGE ENCOMBRANT**
Un défilé en l'honneur de Tito, pendant une visite à Prague (1948) (en bas, à gauche). À cette époque, le leader yougoslave est déjà dans le collimateur du Kominform.

Tito (en bas, au centre).

du socialisme, s'attaque maintenant aux communistes eux-mêmes, dont certains sont accusés de sabotage et de trahison. Tandis que les économies des démocraties populaires sont intégrées en URSS, sacrifiées et subordonnées à cette dernière, la fin du « règne » de Staline (1949-1953) est marquée – en Union soviétique et en Europe de l'Est – par un regain de terreur, des faux complots, des mascarades de procès, des exécutions sommaires et des internements massifs dans les camps de concentration.

## LA RÉVOLUTION CHINOISE

Le 1er octobre 1949 naît la République populaire de Chine, un État gouverné par le Parti communiste, fort de ses 4 millions d'inscrits, qui deviendront 6 millions au début des années cinquante. À la reddition du Japon, les forces nationalistes chinoises prévalent, avec 4 millions d'hommes armés contre un million de communistes. L'enracinement populaire supérieur des troupes de Mao, la corruption du gouvernement de Tchang Kaï-chek, l'arrogance violente de ses soldats, l'habileté stratégique des commandants communistes sont autant d'éléments qui font pencher la balance du côté de ces derniers, déjà très présents dans les campagnes et qui finiront par conquérir tout le pays à l'issue d'opérations militaires efficaces et bien conduites. La réforme agraire, menée tandis que des révoltes récurrentes sont organisées contre les propriétaires, redistribue 40 % des terres cultivées à 60 % de la population. C'est donc la réforme la plus importante, à laquelle s'ajoutent la fin de l'inflation, l'amorce d'une reprise économique et la construction d'une nation dont les lois et l'ordre sont progressivement mieux respectés. Par ailleurs, des campagnes massives – mêlant intimidation et persuasion, menaces et consensus, pression à adhérer volontairement

## TITO

Inscrit au Parti communiste yougoslave dès 1920, Josip Broz, dit Tito, devient membre du comité central en 1928 et secrétaire de la section croate. Après quelques années de prison, il se rend en URSS, où il survit aux purges dont sont victimes presque 1 000 communistes yougoslaves ; il assume ensuite les fonctions de secrétaire du Parti, qu'il essaie de réorganiser à son retour en Yougoslavie. Entré en clandestinité, il organise la

lutte contre l'invasion germano-italienne, au nom de tous les peuples yougoslaves. Des groupes de résistants libèrent progressivement plusieurs régions et s'emparent des armes italiennes après le 8 septembre. La conférence de Téhéran reconnaît aux hommes de Tito, qui entretemps a formé un ouvernement révolutionnaire provisoire, le

statut d'alliés. En mai 1945, après avoir obligé les Allemands à la reddition et occupé Trieste,

et répression de ceux qui ne veulent pas s'adapter – sont menées contre les étrangers, les contre-révolutionnaires, les vices qui menacent le Parti (corruption, gaspillages, excès de bureaucratie) et ceux qui sont propres à la bourgeoisie (vol de la propriété de l'État, fraude fiscale, corruption).

Le modèle du communisme chinois ne suit que partiellement celui qui s'est imposé en Union soviétique. La structure de l'économie (le premier plan quinquennal démarre en 1953) et la présence unique et hégémonique du Parti communiste sont effectivement des points communs, mais l'attention au monde rural et l'insistance sur des formes de volontarisme, sur la mobilisation collective et sur l'endoctrinement constant révèlent l'existence en Chine d'un totalitarisme davantage marqué par une pédagogie répressive que par une intolérance généralisée. L'adoption de formes très différenciées d'éducation politique (rituels de masse,

obligation de l'autocritique, contrôles répétés) exploite la tendance du confucianisme à légitimer le pouvoir et la structure hiérarchique de la société, mêlant le culte du chef, propre à la tradition marxiste-léniniste, et son exaltation, typique, en revanche, de la tradition indigène chinoise.

L'invasion du Tibet, en octobre 1950, et la menace permanente d'envahir Taïwan – la grande île où se sont réfugiés Tchang Kaï-chek et son gouvernement nationaliste, toujours titulaire du siège de la Chine aux Nations unies – montrent bien que l'équilibre international en Extrême-Orient a profondément changé avec la victoire de la révolution chinoise.

L'intégration de la Chine populaire dans le bloc soviétique est en partie intéressée (aides techniques et économiques, protection militaire en cas d'agression directe ou indirecte de l'Occident) et s'explique aussi par le dénominateur commun qu'est l'idéologie communiste. Le traité d'alliance

Tito se consacre à la construction du nouvel État yougoslave, fédération de plusieurs peuples auxquels sont reconnus les mêmes droits.

Partisan d'une fédération balkanique plus vaste, Tito se heurte vite à Staline, dont il n'accepte pas les diktats « colonialistes ». Son expulsion du Kominform lui permet de tirer parti des aides occidentales, sans renoncer toutefois à une économie de type socialiste (mais l'expérience yougoslave présente des éléments

originaux, comme l'autogestion par la décentralisation et la propriété individuelle de la terre) et à la création d'un État autoritaire, sous la dictature de la Ligue des communistes. Il fait partie des leaders des pays « non alignés » et dirige un processus de décolonisation dans une perspective d'équidistance vis-à-vis des deux blocs. Même après sa réconciliation avec l'URSS, en 1955, il continue de préconiser un communisme alternatif et différent de celui de Moscou.

**LE NOUVEAU RÉGIME**
De jeunes Chinois lisent les livres publiés par le pouvoir communiste (Shanghai, 1949) (ci-contre).

**CONSTRUCTION DU CONSENSUS**
Manifestation de masse à Pékin, pour le deuxième anniversaire de la République populaire de Chine, le 1er octobre 1951 (à droite).

**UNE NOUVELLE GUERRE**
Le président de la Corée du Sud, Syngman Rhee, à Kaesong, en dessous du 38e parallèle (1952) (en bas).

et d'assistance signé en février 1950 donne des garanties à la Chine en cas d'éventuelles attaques américaines et japonaises et reconnaît à l'URSS le rôle de leader du monde communiste. Quelques mois plus tard, la guerre de Corée éclate et entraîne une confrontation directe entre soldats chinois et américains, même si un conflit entre les deux États n'aura jamais lieu. Ouvertes par le régime communiste de la Corée du Nord le 25 juin 1950, les hostilités entraînent l'envoi de troupes de l'ONU, largement composées de soldats américains. En dix jours, celles-ci repoussent les Nord-Coréens au-delà du 38e parallèle – la frontière entre les deux

Corées établie par des accords internationaux signés à la fin de la Seconde Guerre mondiale – et prennent la capitale du Nord, Pyongyang. Sept mille « volontaires » chinois repoussent à leur tour les Américains au-delà du 38e parallèle, que l'armistice de 1953 confirme dans son rôle de frontière entre les deux Corées. La Chine apparaît de plus en plus isolée de l'Occident et intégrée dans le bloc soviétique. Mais l'instauration d'un régime communiste dans un pays de presque 600 millions d'habitants ne peut pas ne pas modifier l'équilibre entre les deux grandes puissances, ni même les caractéristiques du camp socialiste.

**LES COMMUNISTES DANS LA RUE**
Manifestation à Paris, le 30 mai 1952, organisée par le Parti communiste à l'occasion de la visite du général américain Ridgeway (ci-contre).

**LE TRIBUNAL MILITAIRE**
Octobre 1952 : le leader communiste français Jacques Duclos, après son interrogatoire dans le procès où il répondait à l'accusation de trahison de secrets d'État (en bas).

## LA GUERRE FROIDE

En Europe occidentale, où les partis communistes sont dans l'opposition, la guerre froide fait son apparition tant au niveau idéologique que politique et économique. Exclus des gouvernements de coalition à l'été 1947 (en Belgique, en France et en Italie), les partis communistes doivent faire face à une contre-offensive tous azimuts, ce qui n'est pas sans renforcer leur enracinement social. Les choix économiques liés à la reconstruction et au Plan Marshall (les aides américaines à l'Europe pour contribuer à sa relance et à accroître l'hégémonie commerciale nord-américaine) entraînent une intensification de l'exploitation des ouvriers dans les usines et la résistance des propriétaires terriens à tout type de réforme agraire. Les luttes syndicales et les grands mouvements de protestation des agriculteurs sont durement réprimés par les polices, tandis que dans la fonction publique, la discrimination anticommuniste dans les bureaux et dans les écoles accompagne le retour de personnes qui en avaient été éloignées après avoir collaboré ou adhéré au fascisme.

C'est en France et en Italie que les partis communistes sont les plus forts et que les conflits sociaux et politiques sont les plus durs. Pendant les campagnes électorales, la propagande anticommuniste dépeint la victoire possible des partis de gauche comme une menace pour l'Occident, la chrétienté et les libertés. Les droits civiques et politiques des communistes, ou de ceux qui sont simplement soupçonnés de l'être, sont suspendus ou limités en Allemagne de l'Ouest et aux États-Unis, où le maccarthysme met sur le même plan une prise de position libre et critique, l'activité subversive et le communisme. Naturellement, les partis communistes appuient sans la moindre critique tout ce que

## LA DUPLICITÉ

La duplicité, terme utilisé pour définir les partis communistes occidentaux — notamment l'italien — écartelés entre leur fidélité à l'URSS et celle qu'ils doivent à leur État démocratico-républicain, a été parfois revendiquée par les dirigeants communistes eux-mêmes pour qualifier — à la lumière des conditions historiques concrètes de l'après-guerre — la nature contradictoire de leur politique. Mais, pour les anticommunistes, ce mot désignait surtout une appartenance intéressée à la démocratie et à la république, par opposition à une identité soviétique plus sincère, surtout dans les années cinquante. En ce qui concerne le PCI, même si la démocratie ne comptait pas parmi les grandes valeurs sur lesquelles il fondait son identité, son adhésion et sa fidélité au système politique républicain italien et à ses institutions étaient profondes et sincères, car vraiment ancrées dans l'idéologie antifasciste qui a constitué le terreau d'une inspiration constitutionnelle, partagée par toutes les forces ayant combattu la dictature. La « défense » de la démocratie a pu ainsi cohabiter avec une « critique » de la démocratie au nom d'une hypothèse d'État – l'hypothèse soviétique – qui s'estimait supérieure à l'option démocratique et parlementaire en termes de liberté et d'égalité pour la plupart des citoyens. Il a fallu attendre les années soixante-dix pour que cette conception soit remise en cause. Dans les années quatre-vingt, les communistes sont allés jusqu'à revendiquer la primauté de la démocratie – ne serait-ce que la démocratie « limitée » des institutions parlementaires – par rapport à l'évolution dictatoriale des expériences de type soviétique.

**PROPAGANDE CONTRAIRE**
Quelques anciens communistes
s'inscrivent à la Démocratie
chrétienne, en Italie (1951) (ci-contre).

Affiche des Comités civiques pour les
élections de 1948 (Italie) (à droite).

**L'ENGAGEMENT COMMUNISTE**
Un militant vend un journal publiant
des chants révolutionnaires (en bas,
à gauche).

Manifestation à Florence, après la fête
de l'Unità (1949) (en bas, à droite).

fait l'URSS et organisent, en Europe, les campagnes « pour la paix » suggérées par Moscou, attaquant comme ennemi de la paix quiconque exprime des critiques cohérentes à l'égard des États-Unis comme de l'URSS.

Au sein des partis communistes règne une discipline très sévère, surtout si l'on se permet d'émettre des réserves sur l'Union soviétique : toute personne qui s'oppose à ce que l'on considère Tito et les communistes yougoslaves comme des criminels, défend la liberté de l'art ou refuse les manifestations grotesques du culte de Staline se retrouve vite du côté des marginalisés et des exclus du Parti. C'est la guerre froide, avec sa logique de confrontation absolue, qui favorise la formation d'une identité idéologique forte et sectaire, intolérante face aux critiques, mais aussi encline à de généreux sentiments communautaires et à une intense participation collective. Le communisme devient, pour les militants, une adhésion politique et idéologique, mais aussi un modèle comportemental. La culture communiste comporte la défense de valeurs éthiques de justice et d'égalité, des goûts vestimentaires, des lectures, des pratiques sexuelles, le goût du rituel dans les manifestations et les fêtes, ou encore les bals et les cérémonies funèbres. La foi de type religieux dans l'URSS et l'infaillibilité de l'organisation accompagne des positions anti-individualistes et se résume largement en une acceptation *a priori* de la primauté de l'intérêt du Parti.

# LE MACCARTHYSME

L'anticommunisme qui marque la politique intérieure des États-Unis au début de la guerre froide est parfaitement incarné –, entre 1950 et 1954, par le sénateur Joe McCarthy, président d'une sous-commission permanente d'enquête du Sénat. Devenu célèbre en février 1950, après avoir accusé le gouvernement de ne pas avoir empêché l'infiltration subversive d'espions communistes dans l'administration publique, McCarthy n'est jamais parvenu à prouver ou à préciser davantage ses thèses, qui, pourtant, ont été le prétexte récurrent d'une vaste campagne de propagande, conduite grâce au soutien de la télévision et des journaux. McCarthy amplifiait et encourageait le sentiment de peur diffuse du communisme que la victoire de Mao en Chine et l'explosion de la première bombe atomique soviétique (toutes deux en 1949) avaient accru au bout de deux années de guerre froide. Le sénateur américain pensait que les responsables de l'« infiltration » communiste étaient des hommes de l'administration Roosevelt, des démocrates trop sensibles aux droits de l'homme et tous ceux qui avaient pris trop au sérieux l'alliance avec l'URSS pendant la guerre.

Les campagnes de « découverte » de McCarthy enquêtaient sur les milieux les plus divers (le monde de la culture, de l'Université, de l'éducation, les syndicalistes et les politiques, les religieux) et finirent par toucher l'*establishment* et même les autorités militaires. La paranoïa anticommuniste de McCarthy, associée à une culture politique intolérante et fruste, devait quand même s'essouffler. L'intervention courageuse de plusieurs journalistes et la fermeté du président Eisenhower ont fini par briser la carrière de McCarthy, qui, censuré par le Sénat, a rapidement été oublié, vers la fin de 1954. Employé pour la première fois par un caricaturiste, le terme de « maccarthysme » est resté et désigne l'un des aspects fondamentaux de la guerre froide, à savoir l'hystérie anticommuniste

qui poussa les États-Unis à limiter les espaces de liberté et de légalité comme ils ne l'avaient jamais fait jusqu'alors.

**LE CLIMAT DE L'ÉPOQUE**
Une ménagère regarde McCarthy, à la télévision, qui dénonce des infiltrations communistes dans l'armée américaine (printemps 1954) (en haut).

Six dirigeants du Parti communiste américain (en haut, de gauche à droite : H. Winston, J. Williamson, J. Stachel ; en bas : W.Z. Foster, B. Davis, E. Dennis, arrêtés en 1943, retournent en prison à l'époque du « maccarthysme » (au centre).

Le sénateur McCarthy tente de convaincre le ministre de la Défense, Robert Stevens, que la falsification de la photo produite à l'audience contre l'armée (une des personnes, effectivement, n'y figure plus) n'affaiblit en rien ses accusations (ci-contre).

# LE XXᵉ CONGRÈS DU PCUS ET LA DÉSTALINISATION

L a mort de Staline suscite une question de plus en plus dramatique : maintenant que le communisme concerne une grande partie de l'humanité, qu'il réunit plusieurs continents et diverses cultures, et que les fondateurs du bolchevisme ont disparu, sera-t-il en mesure de se réformer et de s'adapter à un monde qui a profondément changé ?

Le régime communiste de l'URSS apparaît solide, même s'il doit encore trouver un équilibre entre continuité et innovation (la première semblant s'imposer, malgré des ouvertures inconcevables quelques années plus tôt). En Chine et en Asie, les régimes en place donnent l'impression de se renforcer, malgré des tensions sociales qui façonnent les groupes de dirigeants installés à l'issue de la révolution. En revanche, en Europe de l'Est, il traverse une grave crise dont il ne sortira que grâce à la répression politique et à la prise de conscience des réformes économiques nécessaires.

**PLUS DE BEURRE, MOINS
DE CANONS**
Pages 110-111 :
Khrouchtchev visite une usine
collective, dans la seconde moitié
des années cinquante. Le mot
d'ordre est : produire davantage
et offrir aux Russes plus de biens
à consommer (à gauche).

Foire agricole de Pékin en 1958,
en pleine campagne du Grand
Bond en avant (à droite).

**LA MORT DU PETIT PÈRE**
La foule se masse devant la Salle
des colonnes de la Maison des
syndicats, pour rendre hommage
à Staline, mort le 5 mars 1953
(ci-contre).

**BORTSCH GRATUIT POUR TOUT
LE MONDE**
Un restaurant russe de Washington
célèbre à sa façon la mort du
dictateur (en bas, à gauche).

# DE LA MORT DE STALINE AU XXᵉ CONGRÈS

Les années cinquante sont, pour le communisme, une période de transition, marquée par un dynamisme contradictoire et incertain. L'échec d'une réelle ouverture – ne serait-ce que partielle – à la démocratie se mêle aux succès technologiques et spatiaux. La perte de consensus consécutive à l'entrée des blindés dans Budapest est compensée, pour certains, par les tentatives de déstalinisation ou par la pureté des anciens idéaux révolutionnaires encore présents dans le communisme chinois. La confrontation entre les blocs connaît des moments de détente, alternant avec des périodes de crise, mais dans l'ensemble, le camp socialiste est plus stable et plus fort face aux défis de la nouvelle décennie, à l'accélération du développement économique et aux grands changements internationaux.

En URSS, le début de la guerre froide marque aussi une nouvelle vague de terreur contre certaines couches du Parti et contre les minorités nationales. Le régime s'acharne plus particulièrement sur les juifs, accusés de comploter contre les autorités du Parti, et seule la mort de Staline permettra d'éviter que cette suspicion ne se transforme en véritable persécution généralisée. Le dictateur soviétique décède subitement le 5 mars 1953.

Gueorgui Malenkov et Lavrenti Beria semblent favoris dans la course à la succession, et ce dernier, chef puissant de la police secrète et ministre de l'Intérieur et de la Sécurité d'État, semble même favorable à des réformes qui redonneraient au pays sécurité et légalité. Le 26 juin, Beria est arrêté – et fusillé peu après – pendant une réunion du Présidium du PCUS qui formalise le pouvoir croissant du secrétaire général,

**AUTOUR DU CERCUEIL
DE STALINE**
Molotov, Vorochilov, Beria,
Malenkov, deux soldats, Boulganine,
Khrouchtchev, Kaganovitch et
Mikoyan (ci-contre).

**LES DIRIGEANTS COMMUNISTES DU MONDE ENTIER RÉUNIS**
Aux funérailles de Staline, on reconnaît des dirigeants des partis communistes du monde entier (ci-contre).

**LA DÉSTALINISATION**
Au XXᵉ Congrès du PCUS, Khrouchtchev (avec Boulganine et Mikoyan à sa droite, et Souslov à sa gauche) accueille les délégués régionaux (en bas).

Nikita Khrouchtchev. Des millions de personnes prennent part aux funérailles de Staline : le « Petit Père » du Kremlin avait été aimé par tout le monde communiste, qui en avait exagéré de façon grotesque les mérites de révolutionnaire, d'homme d'État, de savant et d'homme tout court. Néanmoins, la nouvelle direction semble vouloir unanimement empêcher qu'un seul homme puisse dorénavant détenir un pouvoir absolu, même si le groupe lié à Khrouchtchev finit par s'imposer progressivement et par construire un nouveau leadership qui place les réformes économiques au cœur du système. Le nouveau cours de la politique soviétique apparaît pleinement à l'occasion du XXᵉ Congrès du PCUS, réuni en février 1956, huit mois plus tôt que prévu. Khrouchtchev déclare que la « coexistence pacifique » avec le monde capitaliste et le défi économique et social pour le dépasser deviennent les objectifs principaux du mouvement communiste, démentant ainsi la théorie stalinienne d'un conflit inéluctable avec l'Occident.

Au cours d'une session à huis clos, dans la nuit du 24 au 25 février, un événement va profondément modifier le mouvement communiste international. Dans son « rapport secret », Khrouchtchev dénonce les crimes de Staline et accuse le dictateur géorgien d'avoir instauré un « culte de la personnalité » et d'avoir ordonné de nombreux et graves délits. Pour la première fois, on reconnaît officiellement que bon nombre d'anciens bolcheviks, dirigeants et militants fusillés ou internés au Goulag comme ennemis du socialisme et traîtres de la patrie, n'avaient en fait d'autre tort que celui d'être tombés dans l'engrenage d'un absolutisme personnel qui avait remis à la police secrète un pouvoir illimité, tout en retirant au Parti la direction collective du pays et la possibilité d'exercer le moindre contrôle.

**L'OUVERTURE À L'OCCIDENT**
Khrouchtchev salue la foule, lors d'un voyage à Paris (ci-contre).

**DÉTENTE ENTRE LES GRANDES PUISSANCES**
Le leader soviétique à côté de Jacqueline Kennedy, lors d'un concert offert à l'occasion du sommet de juin 1961 (en bas).

Le XXᵉ Congrès marque donc le début d'une déstalinisation prudente et contradictoire, qui libère des centaines de milliers de détenus des camps de travail et envisage un tournant décisif de la construction du socialisme : celle-ci donne maintenant la priorité au développement agricole, à d'éventuelles augmentations salariales et à l'accroissement de la richesse commune et de la consommation individuelle. Sur le plan international, l'affrontement avec l'Occident cède la place à une politique de « dégel » qui se poursuivra de façon un peu chaotique pendant une dizaine d'années, entre interruptions et vagues d'accélération.

Le choc provoqué par le « rapport secret » est énorme et le contenu de celui-ci est rendu public en quelques semaines, provoquant secousses et divisions au sein des partis communistes, entre ceux qui continuent de nier les révélations et ceux qui se sentent tout d'un coup libres de pouvoir affirmer des vérités en partie déjà connues. Nombreux sont les communistes qui quittent leur parti, mais plus nombreux encore sont ceux qui prennent acte et essaient de défendre à la fois la mémoire du passé et la stratégie actuelle.

**LES CHEFS DE LA NOUVELLE CHINE**
Mao Zedong et Chou En-lai à l'époque de la campagne des Cent Fleurs (1957), une phase aussi innovante qu'ambiguë.

## LA CHINE ET LE GRAND BOND EN AVANT

C'est de la Chine, qui va prendre des décisions extrêmement importantes pour le renforcement de son identité socialiste, qu'arrive la plus vive contestation des critiques exprimées par le XXᵉ Congrès à l'encontre de Staline.

Dès 1955, tout le système de production du pays est chapeauté par l'État, tandis que la planification entraîne une croissance industrielle écrasant les populations rurales. Toutefois, la consommation alimentaire a beaucoup augmenté depuis les années trente, et la pression sur les campagnes pousse les paysans – encore propriétaires de petits lopins de terre – à former des coopératives.

En 1957, apparemment dans la foulée de l'Union soviétique, Mao lance la campagne des Cent Fleurs pour encourager une libre critique du Parti et cerner les problèmes du pays. Les intellectuels sont les premiers à adhérer et ils tapissent les murs de l'université de Pékin d'accusations contre les dirigeants communistes. À la fin de l'année, une vaste répression frappe tous ceux qui se sont le plus exposés et qui, confiants, ont critiqué le Parti. Plus de 300 000 personnes sont emprisonnées ou envoyées dans des camps de travail, ou bien à la campagne – une sorte d'exil –, pour travailler aux champs.

Le débat porte maintenant surtout sur les formes d'actions utiles pour impulser le développement économique. Un gigantesque projet d'irrigation et de maîtrise de l'eau implique plus de 100 millions de paysans, et la voie indiquée par Mao est une véritable révolution destinée à transformer radicalement le paysage agricole chinois.

En 1958 naissent les « communes populaires », nouvelle unité nationale de la nation où se mêlent la vie privée et le travail dans une sorte de communauté qui va entraîner

## LE CONFLIT SINO-SOVIÉTIQUE

Les rapports entre l'URSS et la Chine se sont renforcés dans les années cinquante – avec les aides économiques et techniques ou l'intégration du régime chinois dans le bloc socialiste dirigé par l'URSS –, mais Mao continue de revendiquer l'autonomie et la parité du PCC vis-à-vis du PCUS. En 1957, il se rend à Moscou et, impressionné par les progrès de la production soviétique et de ses succès en matière spatiale, il obtient de Khrouchtchev des prêts et des aides supplémentaires pour industrialiser la Chine. Toutefois, la déstalinisation commencée avec le XXᵉ Congrès et les choix économiques de plus en plus radicaux des dirigeants chinois compliquent les relations entre les deux pays et les deux partis. Khrouchtchev critique les excès de la politique du Grand Bond en avant, ainsi que l'altération du modèle soviétique ; Mao, quant à lui, accuse l'URSS de révisionnisme et pense que le premier des États socialistes va finir par emprunter la voie de la restauration capitaliste. Face à la détérioration du débat idéologique, l'URSS décide, en 1960, de rappeler ses techniciens en poste en Chine, accentuant ainsi l'isolement du grand pays asiatique et freinant considérablement ses progrès industriels et productifs. La Chine essaie de se présenter au mouvement communiste international, notamment aux partis d'Asie et d'Afrique, comme l'unique garantie de lutte cohérente pour le socialisme et contre l'impérialisme, un combat qu'elle accusait l'URSS d'avoir abandonné en adoptant la politique de la « coexistence pacifique ».

En même temps, cet isolement international favorise la radicalisation en Chine des objectifs socialistes et explique que le gouvernement ait décidé d'accélérer le passage à la construction du communisme.

# LES COMMUNES POPULAIRES

Les communes populaires rurales sont le pivot de la stratégie économique et agricole au sein de la politique du Grand Bond en avant. Conçu comme un grand défi lancé à l'Occident – une idée proposée par Mao à Khrouchtchev lors de leur rencontre à Moscou, en 1957 –, le système des communes, d'abord testé dans le Henan avant d'être étendu au reste du pays, aurait dû permettre à la Chine de rattraper, voire de dépasser, la Grande-Bretagne en quinze ans. À la fin de 1958, 99 % des familles de cultivateurs faisaient partie d'une commune populaire. Pour préparer ce grand tournant stratégique, les persécutions des paysans riches s'intensifient et on élimine tous les cadres locaux du Parti trop liés aux communautés rurales ; en même temps, on renforce l'éducation socialiste et 60 millions de paysans sont engagés pour construire les installations d'irrigation nécessaires à la nouvelle organisation du travail dans les campagnes.

La commune devient l'unité sociale de base de l'économie chinoise et on la retrouve dans toutes les activités (agricole, industrielle, militaire, éducative). Chaque commune est censée réunir environ 2 000 foyers, mais il n'est pas exclu qu'elle en regroupe davantage, jusqu'à 10 ou 20 000 dans certains cas. En réalité, la moyenne est de 5 à 8 000 foyers, mais on en a vu de 65 000. La propriété privée de petites parcelles de terre est supprimée, ainsi que les potagers familiaux, et les vergers, les arbres, les maisons, les animaux et les outils agricoles deviennent la propriété de la commune. L'outil de production appartient donc à la commune, qui détient aussi le monopole du commerce et de la vente, activités qui ne peuvent être assurées par des individus. L'égalitarisme croissant débouche sur la distribution des rations alimentaires en fonction des besoins individuels, et non pas du travail accompli ou des résultats obtenus, et des cantines – ainsi que des services collectifs – voient le jour pour soustraire les femmes aux tâches domestiques et les faire participer davantage à la production. Dans de nombreuses communes, les hommes et les femmes sont d'ailleurs séparés, tandis que les enfants sont élevés dans des sortes de pensionnats, et non en famille. La cellule familiale est considérée comme un obstacle à la construction de la société socialiste, laquelle se militarise et se hiérarchise de plus en plus. Les communes deviennent également la structure de base de l'organisation gouvernementale et constituent les premiers degrés de la hiérarchie du Parti. Dans les communes, on travaille 12 heures par jour, voire 16 ou 18 au moment des moissons. Après les systèmes d'irrigation, des millions de personnes doivent prendre part à la construction des hauts fourneaux, même si environ 40 % de ces infrastructures se révéleront en fait inutilisables, à cause d'erreurs techniques. Exagérées et manipulées en 1958, les estimations de la production deviennent plus réalistes à partir de 1959, année où des soulèvements se produisent dans quelques régions et mettent fin à l'organisation militarisée du travail dans les campagnes : les manifestants demandent le retour aux potagers familiaux et aux marchés ruraux partiellement libres. Avec l'échec tragique de la politique du Grand Bond en avant, l'expérience des communes rurales – très critiquée – s'épuise rapidement.

### LA VIE EN COMMUNAUTÉ DÈS L'ENFANCE

Des écoliers de la commune de Shiu Shin pendant la récréation. Le slogan écrit sur le mur signifie : « Tout le monde aime le travail. » (ci-dessus).

Des enfants jouent à la « Grande Muraille » dans la commune de Luoyang, dans le Henan (ci-dessous).

**PRODUCTIVITÉ ET PROGRÈS**
Les fours de Shiu Shin : sur
une surface de 600 kilomètres
carrés, 310 000 personnes
vivent dans 280 villages répartis
en 7 communes populaires
(ci-contre).

**TRADITION ET TRAVAIL MANUEL**
Le déchargement manuel de
marchandises sur les quais de
Chungkin, en 1958 (en bas).

la disparition des dernières formes de propriété individuelle. Ce projet grandiose concerne 120 millions de foyers ruraux, qui se regroupent en 20 000 communes, en plus des 700 000 coopératives dont la plupart faisaient déjà partie. La politique du Grand Bond en avant, comme on l'a appelée, devait permettre d'accomplir en quelques années seulement un développement économique et social jugé impossible à réaliser en si peu de temps.

En fait, les résultats sont assez décevants, surtout sur le plan de la production. Comme en URSS au moment de la collectivisation forcée, la productivité des paysans semble s'effondrer littéralement dès que l'on touche un tant soit peu à leur autonomie, aussi limitée soit-elle. Néanmoins, la politique du Grand Bond en avant se poursuit : les structures communautaires (éducation des enfants, cuisines collectives et services communs) modifient l'organisation familiale, tandis que plus de 200 millions de paysans sont engagés dans la milice populaire, un instrument de militarisation du pays et d'autocontrôle des communes sur tous leurs membres.

Tous les dirigeants ne sont pas d'accord avec Mao, pour qui les communes constituent l'institution propre à la transition d'une société socialiste à une société communiste, et nombre de dirigeants des communes réorganisent la production sous la forme de petites coopératives.

Toutefois, les dégâts collectifs sont énormes : entre 1959 et 1960, les mauvaises récoltes et la nouvelle organisation sociale provoquent une épouvantable famine qui fait quelque 20 millions de victimes, mortes de faim et de maladies dues à la malnutrition ou au surmenage.

**RÉVOLTES DE L'AUTRE CÔTÉ
DU RIDEAU DE FER**
Le premier manifestant blessé par
la police pendant la révolte de
Berlin-Est (juin 1953) (ci-contre).

**LE SOUTIEN DE LA POPULATION**
Gomulka applaudi par la foule dans
les rues de Varsovie (en bas).

# L'ANNÉE 1956 EN EUROPE DE L'EST

Le XXᵉ Congrès et les révélations de Khrouchtchev alimentent
encore davantage les espoirs de changement en Europe de
l'Est après la mort de Staline. Les communistes « nationaux »
qui avaient été écartés et emprisonnés reviennent à la tête
des partis – non sans difficultés et résistances –, représentant
une autonomie et une indépendance croissantes vis-à-vis de
Moscou et de nouvelles possibilités de relance, par le biais
de réformes, de la construction du socialisme dans les
différents pays du bloc.

En réalité, trois mois après la mort de Staline, on relève déjà
un premier signe de changement en République
démocratique allemande : le bureau politique de la SED
(le parti communiste) décide des
mesures en faveur de la

liberté de la presse et des paysans, que l'on veut attirer de
nouveau dans le pays, car beaucoup d'entre eux se sont
réfugiés à l'Ouest. Il se hasarde même à critiquer la dureté
de la commission soviétique de contrôle et promulgue
une amnistie partielle. Parallèlement, l'augmentation des
cadences de travail dans les usines déclenche une révolte
des ouvriers, qui, le 16 juin 1953, envahissent les rues de
Berlin et de nombreuses autres villes avant de se retrouver
nez à nez, le lendemain, avec les blindés soviétiques.

En Pologne et en Hongrie, les tendances favorables à une
déstalinisation plus incisive se fédèrent autour de deux
leaders, Wladyslaw Gomulka et Imre Nagy. Le climat de
plus grande tolérance permet aux tensions sociales – trop
longtemps réprimées – de s'exprimer
enfin ouvertement.

**OCTOBRE HONGROIS**
L'écrivain Tibor Dery intervient dans un débat organisé par l'Association hongroise des écrivains (ci-contre).

**LA FOI TRAHIE PAR UN LEADER ET SON PEUPLE**
Imre Nagy dans son jardin. L'atmosphère est bien différente de celle qui, d'ici peu, va marquer la capitale hongroise (en bas).

En 1956, Poznań tombe entre les mains des ouvriers insurgés, tandis qu'à Varsovie une grande grève tourne à l'émeute contre les symboles du pouvoir communiste. Gomulka est élu secrétaire général du Parti et, le 12 octobre, il affronte avec courage et détermination une délégation soviétique conduite par Khrouchtchev, qui exige que l'ordre soit rétabli. Tout en réaffirmant sa fidélité à l'URSS et au socialisme, Gomulka menace d'une réaction militaire et populaire en cas d'une éventuelle intervention soviétique. Khrouchtchev doit donc accepter le retrait des troupes et des spécialistes soviétiques présents en Pologne, et promet même la fin de toute ingérence dans les affaires polonaises. Quelques jours plus tard, plus de 500 000 personnes proclament Gomulka chef du Parti et de la nation.

En Hongrie, en revanche, l'union entre socialisme et nationalisme ne réussit pas, car le Parti est plus faible et les poussées en faveur de l'abandon du régime de démocratie populaire sont plus puissantes. Les étudiants et les intellectuels qui veulent plus de liberté et les réformistes du Parti se rallient pour demander un gouvernement présidé par Nagy et davantage d'autonomie et de pouvoir par rapport à l'URSS.

Le 23 octobre, une foule immense envahit les rues et les places, exaltant les héros et les symboles de la révolution de 1848. Le soir, la révolte armée éclate dans Budapest, les sièges de la police et du Parti sont pris d'assaut, et les statues de Staline, déboulonnées. De nombreux soldats rejoignent les manifestants. La protestation se radicalise, même après l'élection de Nagy à la tête du gouvernement et l'entrée des blindés russes dans la capitale. Les troupes soviétiques semblent se retirer, et on pense qu'un accord comme celui qui a été signé avec la Pologne est possible.

## IMRE NAGY

Militant communiste entre les deux guerres, arrêté, emprisonné et exilé, il passe plusieurs années en URSS avant de revenir en Hongrie, en 1945, comme ministre de l'Agriculture. Opposé à la collectivisation des campagnes, il est exclu de la direction du Parti en 1949, mais les Soviétiques le replacent à la tête du gouvernement après la mort de Staline. Éloigné ensuite par les dirigeants staliniens de ce même Parti, il est rappelé à la veille de la révolution de Budapest pour présider un gouvernement de coalition. Écartelé entre le radicalisme de ceux qui veulent abandonner le communisme et ceux qui veulent le réformer avec prudence, Nagy croit aux promesses des Soviétiques et se présente, affaibli, aux pourparlers pour le retrait des troupes d'occupation. Comprenant qu'il a été trompé, il annonce la sortie de la Hongrie du pacte de Varsovie, espérant obtenir par ce geste extrême une aide de l'Occident ; bien entendu, il n'en sera rien, malgré la vaste propagande antisoviétique qui se répand en Hongrie et dans toute l'Europe. Réfugié à l'ambassade yougoslave au moment de la seconde intervention des blindés, Nagy est arrêté et jugé en avril 1957. L'année suivante, il est condamné à mort et exécuté.

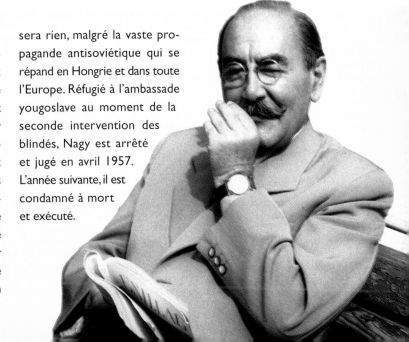

**DES JOURNÉES MAGNIFIQUES ET TRAGIQUES**
Deux insurgés se reposent, dans les rues de Budapest, entre deux combats (ci-contre).

**LE BILAN DES VICTIMES**
Un soldat hongrois près d'un camion servant au ramassage des victimes des combats (en bas).

Mais le 3 novembre, alors que les pourparlers se poursuivent à l'ambassade soviétique de Budapest, les délégués hongrois sont arrêtés, les chars soviétiques pénètrent dans la ville et l'occupent dès le lendemain, malgré la résistance acharnée de la population. Arrêté, Imre Nagy est condamné à mort, et il sera exécuté un an et demi plus tard.

La sanglante répression de la révolte hongroise montre combien le processus de déstalinisation commencé avec le XXe Congrès se heurte à une forte volonté de Moscou de contrôler étroitement les démocraties populaires. Les « voies nationales du socialisme » dont on parle à l'époque ne sont valables que si l'autonomie des pays ne menace aucunement l'hégémonie internationale reconnue du régime soviétique et que si elle ne remet pas en cause les piliers du socialisme, en premier lieu le monopole du pouvoir détenu par le Parti communiste et la fidélité à l'Union soviétique.

## LE COMMUNISME EN OCCIDENT

Quelques mois après le choc provoqué par le « rapport secret » de Khrouchtchev, les événements de Pologne et l'intervention armée des Soviétiques en Hongrie perturbent considérablement les partis communistes occidentaux.

En Italie, le leader de la CGIL, le syndicat à majorité communiste, exprime sa solidarité avec les travailleurs polonais et hongrois ; ce geste noble et courageux coûtera à Giuseppe Di Vittorio, qui jouit pourtant d'une grande

# LE FERMENT CULTUREL APRÈS 1956

Commencé après les révélations traumatisantes du « rapport secret » de Khrouchtchev au XXᵉ Congrès du PCUS, le processus de déstalinisation connaît une dynamique d'ouverture partielle et de libéralisation, surtout culturelle et artistique.

La revue *Novy Mir* (« Nouveau Monde »), dirigée par Alexandre Tvardovski, joue un rôle important dans ce processus et devient l'outil principal de ce que l'on a appelé le « dégel » du début des années soixante. En 1960, elle publie, en feuilleton, l'autobiographie d'Ilya Ehrenbourg – *Ljudi, gody, zizn'* (« Hommes, années, vie ») –, intellectuel et acteur de premier plan de la vie culturelle soviétique, ainsi que témoin direct de la longue période stalinienne. Vers la fin 1962, cette même revue accueille les divers chapitres d'*Une journée d'Ivan Denissovitch,* le premier roman d'Alexandre Soljenitsyne, publié avec l'autorisation spéciale de Khrouchtchev. Cette même année, Dimitri Chostakovitch compose sa Treizième Symphonie, qui s'ouvre sur le poème *Babi Jar,* d'Evtouchenko, et dont les représentations sont annulées après la deuxième, pour être reprises après une révision des textes et de la partition. Ce sont aussi les années de la revue *Junost* (« Jeunesse »), qui promeut le mythe d'Hemingway auprès des jeunes Russes et publie les romans de Vassili Aksenov ; ce sont aussi les années des reportages d'Alexeï Adzoubeï, le gendre de Khrouchtchev, publiés dans le quotidien *Izvestia,* des rassemblements de jeunes au pied de la statue de Maïakovski, de la revue *Sintaxis,* dirigée par Alexandre Ginzburg, à laquelle collaborent Bella Akhmadoulina, Joseph Brodsky, Boulat Okoudjava et Vladimir Bukovski, tous futurs dissidents, victimes du régime et auteurs de *samizdat,* textes clandestins produits et recopiés un à un, pour passer ensuite de main en main. Mais ce sont aussi les années de films comme *L'Enfance d'Ivan,* de Tarkovski (1962), ou *La Ballade du soldat* (1959) et *Ciel pur,* de Tchoukraï, qui témoignent d'une époque heureuse et relativement libre du cinéma soviétique. Une époque qui se termine dès la fin des années Khrouchtchev et se conclut définitivement avec l'éloignement de celui-ci du pouvoir, en 1954.

**LES VISAGES DE LA POÉSIE**
Joseph Brodsky sur le toit de la forteresse Pierre-et-Paul, à Leningrad, en 1967 (à gauche).

Eugène Evtouchenko avec le poète sicilien Ignazio Buttitta, en 1967 (ci-contre).

Le directeur de la revue *Novy Mir,* Alexandre Tvardovski (ci-dessus).

**LE COMMUNISME ITALIEN**
Affiche satirique montrant Togliatti et Nenni en train de scier l'idole Staline (ci-contre).

**ÉQUILIBRE ET CONTRADICTIONS**
Portrait de Togliatti exhibé à la foule en tête d'une manifestation (en bas).

popularité, de nombreuses critiques et une marginalisation progressive. Au PCI, de nombreux inscrits – dont des intellectuels – demandent que l'on tire les conséquences qui s'imposent du processus de déstalinisation, dont Togliatti a proposé une version vague et réductrice, par rapport aux propos de Khrouchtchev, dans une interview accordée à la revue *Nuovi Argomenti*. Le VIIIᵉ Congrès, qui se tient en décembre 1956, marginalise, voire exclut, ceux qui demandent une confrontation décisive et exigent qu'une critique des positions officielles soit enfin tolérée. Et pourtant, malgré cette fermeture rigide, le Parti communiste italien est le plus ouvert et tolérant d'Europe de l'Ouest : il est même pris en exemple par toutes les organisations qui se battent pour plus de liberté. La fidélité et la discipline vis-à-vis de l'URSS continuent d'être le facteur déterminant de légitimation et de sélection des dirigeants du Parti.

Si on examine la situation, on voit que les marges de débat se sont réduites par rapport aux années vingt, tandis que l'image du communisme s'identifie de plus en plus avec celle de sociétés où cette idéologie est au pouvoir (Chine, URSS et démocraties populaires d'Europe de l'Est).

C'est justement l'expansion du communisme dans le monde entier qui attire beaucoup, malgré son évidente incapacité à entreprendre des réformes plus décisives pouvant déboucher sur des institutions plus libres, même à l'époque de la déstalinisation. Ce ne sont plus les idéaux révolutionnaires qui donnent aux sympathisants et aux militants l'illusion d'avancer vers le socialisme, même là où – comme en Occident – ses possibilités de gagner semblent nulles, mais l'essor du pouvoir socialiste. En Occident, notamment en Europe, le communisme vit dans une ambiguïté permanente pendant toute la reconstruction et le miracle

## LA VOIE ITALIENNE VERS LE SOCIALISME

Formulée à l'occasion du VIIIᵉ Congrès du PCI, la stratégie qui prit le nom de « voie italienne du socialisme » reflète les changements qui traversent le mouvement communiste international après le XXᵉ Congrès du PCUS, ainsi que les transformations en cours dans la société italienne et les institutions républicaines. Le PCI a déjà retrouvé une dimension vraiment nationale avec la

Résistance, puis avec l'hégémonie dans le monde syndical, les coopératives et les associations de base. Toutefois, la crise de 1956 pousse le PCI à souligner encore davantage ses particularités nationales et l'importance d'une plus grande autonomie, dans le cadre, toujours, de l'hypothèse du « polycentrisme » que Togliatti a avancée à Moscou pour éviter les divisions avec la Chine et mieux occulter l'hégémonie de fait de Moscou. La « voie italienne du socialisme » se présente

Le drapeau du Parti socialiste italien, allié aux communistes, hissé pendant un meeting de Pietro Nenni (ci-contre).

Pensant déjà aux élections, Palmiro Togliatti s'adresse à la foule réunie à Rome (en bas).

économique. D'un côté, l'idéologie et l'organisation apparaissent fortement conditionnées par la fidélité à l'URSS, et de l'autre, le lien avec les masses et la lutte pour améliorer les conditions des travailleurs poussent à un renforcement des moyens à la disposition de la démocratie et des institutions parlementaires. Si l'on considère les expériences de communisme au pouvoir ou à l'opposition au début de l'après-guerre, son image globale semble celle d'un mouvement qui, s'il est au pouvoir, est arrogant et violent et, s'il représente les salariés, se bat contre leur exploitation et défend la démocratie. Cette ambivalence a des racines très profondes, qui remontent à l'époque de la prise du pouvoir par les bolcheviks et à l'échec de la révolution européenne. Que l'on appelle cela « duplicité » ou autrement, on a la confirmation, en tout cas, que le communisme est bel et bien la religion laïque du XXe siècle, que sa foi et sa

discipline résolvent les contradictions et donnent un sens aussi bien à la rationalité présumée des analyses matérialistes qu'à des sentiments, des valeurs et des comportements qui se justifient au nom d'une forte identité et d'une altérité très marquée. Dans le « camp socialiste », l'espoir d'élaborer des modèles différents de communisme est un alibi à une illusion de pluralisme qui ne se retrouve absolument pas dans la réalité.

donc comme une stratégie de réformes structurelles à mettre en œuvre dans le respect de la Constitution. Conçues pour améliorer la vie des masses et accroître leur conscience de classe, ces réformes structurelles sont censées faire avancer, sans toutefois les résoudre, les contradictions et les déséquilibres du capitalisme. Dénuées de toute faisabilité politique, et laissées effectivement à leur état de vague rappel indistinct d'une idéologie, elles envisagent un passage pro-gressif et cohérent du capitalisme au socialisme, à même de concilier – mais sur le papier, sans plus – le respect de l'équilibre constitutionnel démocratique et la perspective d'une transformation socialiste de la société. La proposition de la « voie italienne du socialisme » a permis aux dirigeants italiens de revendiquer à la fois une plus grande autonomie vis-à-vis de Moscou et une adhésion plus sincère et convaincue à la démocratie italienne.

**LE DÉFI TECHNOLOGIQUE LANCÉ À L'OCCIDENT**
Des scientifiques relèvent les niveaux de radioactivité à bord du brise-glace Lénine (1961) (ci-contre).

**LA FIN DU CAUCHEMAR, LE DÉBUT DU RÉCIT**
L'écrivain Alexandre Soljenitsyne à son bureau (en bas).

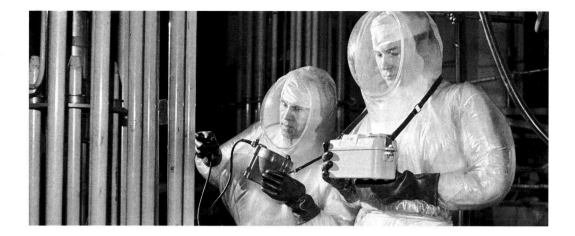

## LA RUSSIE DE KHROUCHTCHEV

Détesté par les nostalgiques du stalinisme et haï des puristes de la révolution, Khrouchtchev incarne les limites réformatrices du régime communiste au pouvoir, dues en partie à la structure même du système et en partie à cette idéologie qui, dorénavant, s'est figée dans une série de codes et de dogmes incontournables.

Après le XXᵉ Congrès, le processus de déstalinisation semble connaître une pause. En juin 1957, Khrouchtchev est mis en minorité au Présidium du PCUS, mais avec l'aide des autorités militaires, il parvient toutefois à renverser la situation au sein du comité central, dont les membres autrefois liés à Staline – Malenkov, Molotov, Boulganine, Vorochilov et Kaganovitch – sont écartés et marginalisés comme « ennemis du Parti ». Khrouchtchev détient un tel pouvoir à la tête du gouvernement et du Parti qu'il décide de se lancer dans des réformes économiques et administratives, afin de hisser l'URSS au niveau des États-Unis, voire de les dépasser. Des programmes de logements sociaux, de renforcement des services publics, de promotion de l'industrie liée à la production de biens de consommation, de défrichage des terres vierges au Kazakhstan et dans le sud de la Sibérie, et de réformes du système kolkhozien accompagnent la course constante aux armements et surtout – car c'est plus spectaculaire – à la conquête de l'espace, que la technologie militaire soviétique semble pouvoir assurer, et même enlever aux Américains. Le 4 octobre 1957, le premier satellite artificiel – le *Spoutnik* – est lancé en orbite, suivi, un mois plus tard, par un autre, avec à bord une petite chienne nommée Laïka. La compétition technologique avec les États-Unis s'intensifie, mais c'est l'URSS qui s'impose encore une fois avec un succès spectaculaire, symbolique et de grande

## « UNE JOURNÉE D'IVAN DENISSOVITCH »

C'est le titre du court roman d'Alexandre Soljenitsyne, publié en 1962 dans la revue *Novy Mir*. À quelques mois des nouvelles dénonciations du stalinisme, qui furent faites à l'occasion du XXIIᵉ Congrès du PCUS, cette publication est un événement d'une importance primordiale. Pour la première fois, on tolère qu'un récit sur les camps de travail du Goulag fasse

l'objet d'une œuvre littéraire. Condamné en 1945 pour une insulte à Staline trouvée dans une de ses lettres, l'auteur est libéré en 1956 et il révèle dans ce court roman un talent d'écrivain qui se confirmera par la suite. Bien que, à l'époque, la censure et la répression continuent de frapper de nombreux intellectuels, la publication d'*Une journée d'Ivan Denissovitch* est effectivement une ouverture à des témoignages et à d'importants débats sur une réalité officiellement ignorée il n'y a pas si longtemps. Cet ouvrage demeure le symbole reconnu d'une saison courte et fertile, dense d'espoirs de réformes et de changements stables – ce que l'on a appelé le « dégel » – qui, hélas, s'évanouiront définitivement, deux ou trois ans plus tard, avec la chute de Khrouchtchev.

**LA MAIN TENDUE AU NEUTRALISME**
Khrouchtchev et Nasser se donnent une poignée de main, à l'occasion d'une rencontre des leaders des pays non alignés (Tito est au premier plan, à droite), à New York, en septembre 1960 (page de droite, en bas).

**DE BONNES NOUVELLES DE L'ESPACE**
Des ouvrières lisent un article sur le nouveau voyage dans l'espace de l'astronaute Guerman Titov (1961) (à gauche).

**LA TENSION**
Les blindés soviétiques surveillent un barrage le long du mur de Berlin (février 1961) (ci-contre).

importance pour la propagande : le 12 avril 1961, à bord du vaisseau *Vostok*, le pilote Youri Gagarine est le premier être humain à accomplir un vol orbital autour de la Terre – il reste près de deux heures dans l'espace.

Les choix opérés par Khrouchtchev, à commencer par la déstalinisation et la « coexistence pacifique » avec l'Occident, n'entraînent pas seulement des heurts au sein du PCUS, mais provoquent même une rupture profonde et traumatisante au cœur du mouvement communiste international. La Chine de Mao Zedong revendique l'héritage de l'orthodoxie marxiste-léniniste et accuse l'URSS de révisionnisme idéologique, provoquant une fracture du camp socialiste qui ne se refermera jamais. Aux oppositions doctrinaires, qui culminent en 1960 avec une série d'accusations, de condamnations et d'excommunications, s'ajoutent des

### LA CRISE DES MISSILES
Des Soviétiques lisent les
dernières nouvelles sur Cuba
dans la *Pravda* (29 octobre 1962)
(ci-contre).

### AUX YEUX DU MONDE
Le Conseil de Sécurité de l'ONU
(l'ambassadeur américain Adlai
Stevenson est à droite, le
Soviétique Valerian Zorine, à
gauche) examine les clichés aériens
fournis comme preuve de
l'installation des missiles à Cuba
(octobre 1962) (en bas).

revendications territoriales qui, dix ans plus tard, entraîneront des conflits frontaliers sur les rives de l'Oussouri et la première guerre entre pays socialistes. La perte de l'hégémonie sur l'ensemble des pays socialistes et les partis communistes (même si l'Albanie sera la seule à se ranger aux côtés de la Chine) ne semble pas soucier Khrouchtchev, qui, en 1961, s'engage encore un peu plus dans la déstalinisation. Au XXIIᵉ Congrès du PCUS, de nouvelles accusations sont lancées contre Staline, tandis que le débat sur le passé semble se renouveler avec divers ferments culturels et ouvertures. Mais, comme en 1956, ce renouvellement apparaît contradictoire et ambigu. En 1961, c'est le dégel, la déstalinisation, mais aussi la construction du mur de Berlin, pour forcer les Allemands de l'Est à rester dans le « paradis » communiste plutôt que de fuir à l'Ouest.

Sur le plan international, la coexistence avec les États-Unis manque de cohérence. Les signes positifs dans les rapports avec le nouveau président, John F. Kennedy, sont anéantis par la question de Cuba, d'abord à l'occasion de la tentative d'invasion par la CIA de la baie des Cochons, puis de la bien plus grave « crise des missiles » qui, en 1962, menace même la paix dans le monde.

La « défaite » de Khrouchtchev – bien que le comportement raisonnable des pays concernés permette d'éviter un conflit nucléaire –, l'échec des réformes agraires et le ressentiment de la vieille garde à la suite des accusations contre Staline sont tels que le secrétaire général du PCUS est relevé de ses fonctions, en 1964. Les années du changement – partiel et tortueux, certes – se terminent ainsi. Le communisme, du moins en URSS, semble retrouver la voie de la continuité.

## ÉTAT-PROVIDENCE, ÉCOLE, SANTÉ

Au début de la construction du camp socialiste, les dirigeants ont privilégié le contrôle répressif des populations. Ensuite, avec la détente internationale et la déstalinisation en URSS, ils ont plutôt recherché le consensus populaire, ne serait-ce que passif. À la base du contrat et du compromis implicites entre le pouvoir et la population, il y a la conviction, d'une part, qu'il est impossible d'obtenir l'adhésion – enthousiaste ou forcée – à un projet de construction du socialisme, et, de l'autre, que le pouvoir est trop solide pour être remis en cause, comme l'a montré, du reste, l'échec de l'insurrection hongroise. En échange d'une non-opposition de la population, le pouvoir essaie donc d'offrir aux citoyens une sécurité et des garanties pour l'emploi, inconnues dans les sociétés capitalistes, même les plus avancées ou jouissant des meilleures protections sociales. Le chômage est en contradiction, théorique et pratique, avec le socialisme réalisé. Les facteurs de déséquilibre de cette politique – surtout les bas salaires et le manque de productivité – provoquent des contrecoups de plus en plus forts sur le plan économique, mais sur le plan social, en revanche, ils exercent un effet puissant de cohésion passive autour des régimes de démocratie populaire. Il en est de même pour les programmes de logements sociaux qui accompagnent les processus d'urba-nisation et le développement des villes. Une partie importante du budget social est consacrée à l'éducation et à la culture. La première vise à accroître les capacités technico-profession-nelles en général, mais elle n'oublie jamais son rôle en matière d'endoctrinement et de contrôle social à tous les niveaux. Quant à l'alphabétisation cultu-relle et à la formation continue des adultes, elles s'associent à un programme important de sub-ventions du théâtre, du cinéma, de l'opéra, des ballets, autant d'activités conçues comme occasions d'acculturation sans précédent des masses. Dans le domaine de la santé publique, les démocraties populaires s'avèrent capables de répondre aux prin-cipaux besoins de la population. La qualité des soins est bonne, surtout dans les établissements réservés à la *nomenklatura,* et par rapport au niveau de dévelop-pement économique et social, elle demeure de toute façon supérieure à la moyenne.

### UN PAYS EN PLEINE CROISSANCE
Des étudiants au travail à l'université de l'Amitié internationale (ensuite appelée l'université Lumumba), en 1961 (ci-dessous).

Des mineurs soviétiques à Tkvartcheli, en Géorgie (1965) (ci-contre).

Les enfants d'une école maternelle, confiés aux bons soins de leurs maîtresses (ci-dessous).

# LE COMMUNISME ET LA DÉCOLONISATION

La révolution cubaine – qui s'impose contre la stratégie du Parti communiste et se range du côté des socialistes, à cause, surtout, du contexte international – parvient à attirer, surtout chez les jeunes, de nouveaux partisans de la révolution et du communisme. L'épicentre de la lutte des classes semble se déplacer vers le tiers-monde, où le processus de décolonisation avance à grands pas et libère apparemment des énergies, qui se tournent essentiellement vers la révolution et le socialisme.

L'influence du communisme est profonde dans les pays accédant à l'indépendance au début des années soixante, mais elle ne parvient presque jamais à déboucher sur une hégémonie idéologique cohérente. La division du monde en deux blocs explique l'attrait du communisme pour tous ceux qui refusent le contrôle direct de l'Occident et optent – par le biais d'alliances avec l'URSS et la Chine – pour un nationalisme fortement teinté d'autoritarisme et de militarisme.

## LES LUTTES ANTICOLONIALES, DU VIÊT NAM AU CONGO DE PATRICE LUMUMBA

Les régimes communistes les plus récents traversent encore de graves crises, qu'elles soient de type anarchique et dictatorial, comme en Chine, ou faussement réformistes, comme en Tchécoslovaquie. Mais ce sont surtout les divisions entre les deux grandes patries du socialisme – l'Union soviétique et la Chine – qui donnent une vision contradictoire du communisme, où se mêlent expansionnisme et consensus, déceptions et échecs.

Dans un tel contexte, la relation entre le bloc communiste et les mouvements anticoloniaux et de libération se fonde essentiellement sur la solidarité, malgré quelques ambiguïtés et contrastes. La méfiance vis-à-vis des combats non dirigés par des partis communistes devient de plus en plus nette et le sectarisme du mouvement communiste s'affirme,

renforçant ainsi la conviction que le Parti est toujours la principale et unique garantie de tout processus révolutionnaire. Les exigences de la guerre froide – sortir de l'isolement, affronter l'Occident pour conquérir l'hégémonie et parvenir à un consensus avec les nouveaux États – jouent néanmoins en faveur d'une plus grande tolérance.

L'attention aux mouvements anticoloniaux et les accords avec les États indépendants répondent, en fait, aux principaux intérêts de l'URSS et de sa politique internationale ; sur le plan idéologique, l'intégration tactique des partis communistes dans les fronts nationalistes et de libération est encouragée, afin d'assurer l'hégémonie et le contrôle de la situation, là où cela est possible.

Dans de nombreux pays, les communistes prennent la tête des luttes anticoloniales ou, pour le moins, jouent un rôle de premier plan. En Inde et en Indonésie, leur contribution

DIEN-BIEN-PHU
...ILS SE SONT SACRIFIÉS POUR LA LIBERTÉ

**TERRITOIRE ENNEMI**
Un train blindé roule entre Saigon et Nha Trang, au Viêt Nam (1952) (à gauche).

**LE SOUVENIR DE LA DÉFAITE**
Une affiche française à la mémoire des victimes de Diên Biên Phu (ci-contre).

**AVANT LE COMBAT**
Des parachutistes se préparent à combattre, près de Diên Biên Phu (6 décembre 1953) (en bas).

à la conquête de l'indépendance est importante : leur enracinement social, leur capacité organisationnelle et leur présence dans les institutions politiques des nouveaux États ne cessent de croître. En Malaisie, la guérilla généralisée et organisée que dirigent les communistes résiste pendant environ dix ans – jusqu'en 1960 – aux tentatives de répression des troupes britanniques qui, en 1957, ont accordé au pays son indépendance pour couper l'herbe sous le pied des communistes. Au Viêt Nam, les communistes sont au pouvoir dans le Nord depuis 1945, et dans le Sud, ils organisent une guérilla contre les Français qui durera plus de sept ans. La victoire de Diên Biên Phu, au printemps 1954, ne met pas fin à la lutte pour l'indépendance et la réunification avec le Nord : les Américains remplacent vite les Français et, à partir de 1960, aident davantage le régime du Sud.

En 1964, les États-Unis commencent à bombarder le Nord et envoient de plus en plus de troupes, dans l'espoir de briser la guérilla qui est fortement enracinée dans les campagnes et qui peut compter sur l'aide militaire du Nord, où Hô Chi Minh parvient à conserver une position équilibrée entre la Chine et l'URSS, obtenant ainsi de bons appuis diplomatiques et des aides militaires des deux côtés. Si la présence communiste en Asie est forte dès la fin de la guerre, notamment après la victoire de la révolution chinoise, les mouvements de libération africains s'organisent en dehors de son influence, et plutôt sur une base nationaliste et radicale qui exploite l'appui des socialistes aux mouvements anticolonialistes au nom de la lutte contre l'impérialisme et du principe d'autodétermination des peuples. C'est surtout après s'être emparés du pouvoir que certains nouveaux États se tournent vers le socialisme

# LE COMMUNISME À L'INDIENNE

Dirigé, à ses débuts, par M. N. Roy, une des grandes figures des congrès de l'Internationale à l'époque de Lénine, le Parti communiste indien a toujours été considéré comme fidèle et obéissant à la politique du Komintern, jusqu'à ce que l'on ouvre, récemment, une partie des archives russes. On a alors découvert que, derrière la position officielle de la direction, existait en réalité un discours alternatif à la ligne majoritaire de Roy, selon lequel l'Inde était objectivement mûre pour une révolution socialiste, parce que la classe ouvrière, dont l'impérialisme britannique avait favorisé la formation, était forte et nombreuse ; il fallait donc créer une opposition tenace et déterminée contre les forces nationalistes indiennes. Parallèlement aux positions de Roy, celles du « groupe de Berlin », où se retrouvaient Virendranath Chattopadhyay, Maulana Barakatullah et Bhupendranath Datta, préconisaient l'anti-impérialisme dans ce pays qu'ils considéraient comme essentiellement agricole et dont ils pensaient que le mouvement nationaliste pouvait être retourné favorablement contre le colonialisme britannique. Roy, qui n'est plus au Komintern et qui s'est lié à l'opposition « boukharinienne » allemande de Thalheimer et de Brandler, est convaincu de la nécessité de ne pas aligner les stratégies des différents partis communistes sur les seuls intérêts de Moscou, mais de miser plutôt sur les particularismes locaux. En réalité, au début des années trente, le Parti communiste indien est sous la tutelle du Parti communiste britannique, encore trop peu sensible à l'importance de la question coloniale, qu'il voyait à la lumière d'un eurocentrisme et d'une conscience impériale trop vifs. Les difficultés de la direction indienne pour faire accepter par ses adhérents les changements

**ALLIÉS OU RIVAUX ?**
Nehru et Chou En-lai célèbrent le jour de l'an, en 1957, à New Delhi (ci-dessus).

stratégiques prescrits par la III<sup>e</sup> Internationale s'accroissent avec la Seconde Guerre mondiale : le conflit ne peut plus être considéré comme impérialiste – ce qui était le cas au début ; il devient démocratique et populaire après l'attaque nazie contre l'URSS, et l'appui aux Alliés en guerre limite considérablement toute possibilité de critique du gouvernement britannique et, par conséquent, de sa politique colonialiste dans le sous-continent. L'appui des communistes indiens aux efforts de guerre menés par le gouvernement de Sa Majesté – alors que les dirigeants nationalistes languissaient dans leur cellule, rêvant de reprendre le combat contre le colonialisme – a beaucoup compromis les possibilités du Parti d'élargir son consensus et de jouer un rôle important dans la fondation d'un État indépendant.

Les sympathies de Nehru pour la pensée socialiste, son rôle au sein du mouvement des « non-alignés » et ses bons rapports avec l'URSS ont compliqué l'existence du Parti communiste, qui voulait se créer des perspectives réalistes de lutte pour le pouvoir. Enraciné dans plusieurs régions et secteurs de la société, et jouissant aussi d'un large consensus dans les masses, le communisme indien n'est toutefois pas parvenu à égratigner un tant soit peu l'hégémonie du nationalisme et du Parti du Congrès. La seule exception est le Kerala, un des États les plus pauvres et arriérés du sous-continent, où les communistes remportent les élections en 1957 et forment le premier gouvernement communiste au monde élu démocratiquement. Depuis lors, et malgré les nombreuses crises et divisions qui ont accompagné les tout aussi fréquentes tensions sociales et économiques, le Kerala a toujours été gouverné par une coalition de gauche et des communistes.

**LE BASTION DU SUD**
Le congrès du Parti communiste du Kerala, en 1989 (ci-dessous).

**APRÈS LE COUP DE FORCE**
En octobre 1960, des hommes de Lumumba essaient d'attaquer le ministre des Finances Albert Ndele, qui vient de prononcer un discours très dur contre les communistes (ci-contre).

**« INDÉPENDANCE SANS RESTRICTIONS »**
Encore leader de l'opposition, Patrice Lumumba arrive à Bruxelles, en janvier 1960, pour une conférence internationale (en bas).

– par exemple la Tanzanie –, tout en restant neutres, non-alignés et plutôt favorables à des formes de collaboration panafricaine.

Patrice Lumumba, le chef du gouvernement congolais à qui sera consacrée une grande université moscovite pour étrangers, se rapproche, lui aussi, de l'URSS, mais plus pour obtenir des aides que par conviction idéologique.

Fondateur du Mouvement national congolais (le MNC), en 1958, Lumumba déclare que l'indépendance nationale est un objectif prioritaire et il mène un combat qui, l'année suivante, obligera le gouvernement colonial belge à céder. Avec les élections de mai 1960, le MNC conquiert la majorité relative et Patrice Lumumba devient Premier ministre de son pays. Partisan et interprète d'une politique de non-alignement et d'un programme de décolonisation très social, Lumumba se heurte à d'autres courants politiques présents au Congo et dont les intérêts apparaissent en fait liés à ceux des puissances occidentales, notamment la Belgique et les États-Unis.

Victime d'un complot après avoir de nouveau remporté les élections, Lumumba est arrêté et exécuté, au terme d'effroyables tortures, le 19 janvier 1961.

Il écrivait dans sa dernière lettre à sa femme : « La seule chose que nous voulions pour notre pays était le droit à une vie décente, à une dignité sans hypocrisie, à l'indépendance sans restrictions. »

Bien qu'il ne se soit jamais rapproché du communisme, son programme de libération nationale et sociale a fait de lui le symbole de l'anti-impérialisme dans tout le bloc communiste.

**LE POPULISME ARGENTIN**
Juan Domingo Perón et son épouse Evita, en 1954 (ci-contre).

Manifestation de masse en faveur du régime péroniste (à droite).

**CUBA AUTREFOIS**
Le général Fulgencio Batista, dictateur de Cuba (en bas, à gauche).

Le palais présidentiel de La Havane en septembre 1958, juste avant la victoire des troupes révolutionnaires de Fidel Castro (en bas, à droite).

## LA RÉVOLUTION CUBAINE

L'histoire des partis communistes latino-américains est longue et émaillée de nombreux combats contre les dictatures et le retard économique, contre les intérêts des élites, et pour de meilleures conditions de vie des travailleurs de l'industrie et des campagnes.

Après la Seconde Guerre mondiale, tandis que le populisme s'empare du pouvoir en Argentine, avec Perón – et que sa version brésilienne (le « trabalhismo ») permet à Vargas de revenir au gouvernement après l'expérience des années trente –, de nombreux partis communistes sont jetés dans la clandestinité (en 1947 au Brésil, en 1948 au Chili, en Colombie, au Pérou et au Costa Rica, et en 1950 au Venezuela) par des juntes militaires et nationalistes souvent arrivées au pouvoir grâce à un coup d'État. Le retour à la légalité, qui semble intéresser l'ensemble de l'Amérique latine

vers la fin des années cinquante, permet aux partis communistes de retrouver un rôle et une présence significative – encore que minoritaire et dénuée de perspectives – dans la vie politique. Le mélange entre maximalisme verbal et pratique réformiste se fait dans le droit-fil d'une orthodoxie idéologique empruntée à Moscou et qui semble ignorer la spécificité sud-américaine. Trois pays n'ont pas pris le tournant de la démocratie : le Paraguay, où Alfredo Stroessner entame sa longue dictature en 1954, le Nicaragua, où la famille Somoza contrôle l'État avec toujours plus d'autorité et de violence, et Cuba, où le sergent Fulgencio Batista, président de la République depuis 1940 – et à la tête, pendant quelques années, d'une coalition qui comportait également des communistes –, fait un coup d'État, avec le soutien des États-Unis. Cuba réunit les conditions d'une révolution victorieuse en quelques années.

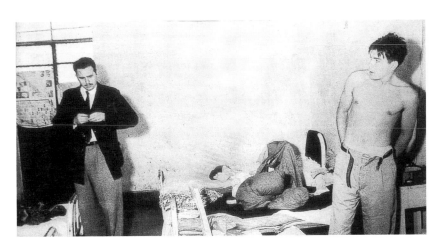

**LES HOMMES DU NOUVEAU POUVOIR**
Fidel Castro et Ernesto Guevara, dans les locaux de la police de Mexico, en 1956 : ils seront les principaux acteurs du débarquement à Cuba, qui déclenchera la guérilla contre Batista (à gauche).

Fidel Castro prend la parole à La Havane, à quelques jours de la victoire révolutionnaire (janvier 1959) (au centre).

Rebelles castristes dans la Sierra Maestra (en bas).

Face aux répressions toujours plus violentes, à l'effondrement de l'économie et à la présence croissante de la criminalité organisée dans la gestion des établissements de jeux de hasard et de prostitution (pour les États-Unis, Cuba est l'« île du plaisir »), les jeunes révolutionnaires nationalistes se mobilisent de plus en plus. En juillet 1953, un groupe de rebelles dirigé par le jeune avocat Fidel Castro attaque la caserne Moncada, mais l'opération échoue et le leader est condamné à quinze ans de prison. Deux ans plus tard, amnistié et exilé au Mexique, Castro renoue avec la conspiration et reprend son activité en 1956, quand 81 révolutionnaires débarquent sur les côtes cubaines. Les survivants rejoignent la Sierra Maestra, où s'amorce une guérilla difficile, vite soutenue par les populations rurales et qui suscite l'enthousiasme des étudiants et des jeunes citadins, malgré l'opposition et le boycott du Parti communiste. En 1958, la guérilla prend alors des proportions inquiétantes pour le régime. Les commandos dirigés par Ernesto « Che » Guevara et Camilo Cienfuegos partent de l'Est à la conquête de toute l'île. En décembre, Santa Clara est libéré, puis c'est le tour de Santiago et de La Havane. Batista fuit en République Dominicaine, et en janvier 1959, Fidel Castro s'installe dans le fauteuil de Premier ministre, à la tête d'un gouvernement où les guérilleros et les personnalités démocratiques travaillent côte à côte. La réforme agraire de 1960 exacerbe les rapports entre Cuba et les États-Unis, lesquels interrompent les exportations de pétrole sur l'île et refusent

**LA TENTATIVE D'INVASION**

Des prisonniers anti-castristes, capturés après l'échec d'invasion de la baie des Cochons, le 21 avril 1961 (ci-contre).

Manifestations, devant la Maison-Blanche, contre les menaces d'intervention à Cuba (1961) (à droite).

Cette affiche rappelle la victoire de Playa Girón (en bas, à gauche).

toute aide technique et économique au nouveau gouvernement. Le nationalisme radical installé au pouvoir se tourne de plus en plus vers le socialisme, lançant un programme très social et pensant à ses intérêts internationaux. En janvier 1961, les relations diplomatiques avec Washington sont interrompues et Castro affirme formellement le choix « socialiste » du nouveau gouvernement. Quelques mois plus tard, avec l'aide d'un millier d'exilés cubains, la CIA tente d'envahir l'île, mais cet épisode tourne à la catastrophe. Cuba, où les communistes sont désormais entrés dans les institutions, fait dorénavant partie du bloc soviétique. En 1962, la « crise des missiles » en est la preuve dramatique, et le monde est au bord du conflit nucléaire. En août 1962, des avions espions américains repèrent que les Soviétiques ont installé des batteries de missiles nucléaires sur le territoire cubain, en vertu de l'engagement pris par Khrouchtchev vis-à-vis de Castro de défendre l'île contre toute attaque ou tentative de débarquement. Au bout de quelques semaines de tension et d'accusations réciproques, le président américain, John Kennedy, déclare le blocus naval autour de Cuba et obtient, *in extremis*, que les Soviétiques démantèlent leurs rampes de missiles. En échange, les États-Unis s'engagent à ne pas envahir l'île et, sur la base d'un accord secret, à démanteler également de vieilles installations de missiles en Turquie.

Le monde n'a jamais été aussi près d'une guerre nucléaire. L'option américaine du blocus naval est jugée excessive, et seul le bon sens de Khrouchtchev permet d'éviter le pire. Après l'échec de la baie des Cochons, l'administration nord-américaine doit empêcher le gouvernement cubain de se renforcer et montrer à l'URSS que la cohabitation pacifique ne signifie pas accepter de nouveaux équilibres internationaux.

**UNE MENACE POUR LES ÉTATS-UNIS ET POUR LE MONDE ENTIER**

Carte dessinée pour le débat, aux Nations unies, sur la « crise des missiles » (ci-dessus).

# AMBASSADEUR DE LA RÉVOLUTION

Parmi les nombreux cerveaux de la révolution cubaine, Ernesto « Che » Guevara est incontestablement celui qui voit dans la victoire des *barbudos,* à Cuba, le premier acte d'une révolution sociale et politique plus vaste et durable, impliquant toute l'Amérique latine aux côtés des mouvements anti-impérialistes d'Asie et d'Afrique. À cet égard, Che Guevara est, à juste titre, le grand symbole de ce désir de rébellion généralisée qui, dans les années soixante, anime des millions de jeunes du monde entier ; il incarne l'espoir d'une révolution mondiale qui, à partir du tiers-monde, pourrait embraser aussi l'Occident industrialisé. Devenu ainsi l'« ambassadeur » de la révolution, et plus particulièrement de la stratégie de la guérilla, Che Guevara prend ses distances avec les grandes forces anti-impérialistes et le monde communiste, auxquels il se heurte parfois durement. Le mot d'ordre : « créer un, deux, trois, dix Viêt Nams », est, en effet, difficilement conciliable avec la stratégie d'un Brejnev, ou même d'un Mao, qui aspire à l'hégémonie au sein du bloc communiste et qui s'intéresse plus au contrôle et à la subordination des Alliés qu'à une diffusion autonome d'expériences révolutionnaires indépendantes. Mais même vis-à-vis du pouvoir communiste cubain, les positions internationalistes de Guevara risquent de créer des tensions, des heurts et des incompréhensions. Après la « crise des missiles », l'idée de faire de l'île une référence des mouvements de lutte et de libération contre l'impérialisme sera de courte durée. La fondation de l'OLAS (Organización latino-americana de solidaridad) est une preuve supplémentaire de la possibilité d'une action autonome au niveau du continent, en dehors de toute hégémonie des grandes puissances socialistes (URSS et Chine), mais elle se heurtera à des soupçons et à des divisions, et des rivalités en mineront

l'efficacité. C'est à cette époque qu'apparaît l'idée d'une organisation tricontinentale, à même d'unifier les mouvements de libération asiatiques, africains et latino-américains : les « campagnes » du monde, dirigées par des mouvements de guérilla, sont capables de mobiliser les masses contre l'ennemi externe (les États-Unis) et les alliés internes (les bourgeoisies locales). La première conférence de l'OSPAAL (Organisation de solidarité des peuples d'Afrique, Asie et Amérique latine) se tient, en janvier 1966, à La Havane ; mais l'espoir meurt en quelques années. Conscient des limites et

**UN HOMME ET SON ICONE**

Portrait de Che Guevara et de Bobby Sands (militant de l'IRA qui s'est laissé mourir de faim dans une prison anglaise) peint sur un mur en Irlande du Nord (1988) (ci-contre).

Le Che à la Conférence économique interaméricaine à Punta del Este, Uruguay (août 1961) (ci-contre).

de l'échec effectif de ce projet, Che Guevara décide de retourner sur le terrain et de contribuer à la création d'un des « foyers » de guérilla dont dépendent, à son avis, la victoire de la révolution et la défaite de l'impérialisme. Après une tentative au Congo – vouée à l'échec dès le début, à cause de difficultés objectives et d'une mauvaise compréhension d'une réalité différente –, le Che est convaincu que c'est en Bolivie que la révolution a – sur le plan social – les meilleures probabilités de succès. Isolé, épuisé, trahi, blessé, il est fait prisonnier et tué le 6 octobre 1967.

Guevara intervient aux Nations unies, le 11 décembre 1964, au cours du débat sur la dénucléarisation (ci-contre).

**LES GÉNÉRAUX DE L'EST**
Le général Jaruzelski, avec d'autres représentants des hiérarchies militaires (ci-contre).

**DICTATEUR D'UN PETIT PAYS**
Enver Hodja, ici en train de voter lors du simulacre d'élection en 1967, restera au pouvoir en Albanie jusqu'à sa mort (à droite).

## LES DIVISIONS DU MONDE COMMUNISTE

Tandis que la révolution cubaine introduit une petite parcelle d'Amérique au sein du bloc communiste, celui-ci se divise petit à petit, au détriment de son unité d'action, de sa crédibilité idéologique et de son influence internationale. Dans les années soixante, l'écart idéologique entre l'URSS et la Chine se creuse, à coups d'accusations réciproques qui ne sont pas sans rappeler celles que s'échangeaient l'URSS et la Yougoslavie entre la fin des années quarante et le début des années cinquante. Seule, l'Albanie a pris position pour la Chine, trouvant ainsi une légitimation internationale pour poursuivre son chemin vers un socialisme archaïque et très militarisé, sous la direction du dictateur Enver Hodja. Les principaux partis restent du côté de l'URSS, même si beaucoup d'entre eux tentent d'arrondir les angles et de conserver de bons rapports avec les deux bastions du socialisme mondial. Quant à l'Europe de l'Est, elle demeure solidaire de Moscou, même si le clivage dans le bloc lui sert de prétexte pour réaffirmer son autonomie, et essayer de la concrétiser. Le Parti communiste italien œuvre particulièrement dans ce sens, encore que l'invitation adressée à l'URSS de ne pas creuser le fossé avec la Chine lui semble une bonne occasion pour prendre ses distances – surtout par rapport à Khrouchtchev –, comme l'écrit clairement Togliatti dans le *Mémorial de Yalta*, à la veille de sa mort, qui le surprendra en Crimée, au cours de l'été 1964. En octobre de cette même année, le brusque éloignement de Khrouchtchev de la direction du Parti et de l'État soviétiques est le fruit d'un complot ourdi au sommet et soutenu de toute part : par les militaires, qui déplorent encore l'échec de Cuba, et surtout la mise à la retraite prématurée de dizaines de milliers d'officiers, par les hauts

## LA NOMENKLATURA

La *nomenklatura,* terme utilisé pour désigner les membres de niveau moyen ou élevé des partis communistes en URSS et dans les démocraties populaires, a résumé, surtout à l'époque de Brejnev, tous les privilèges et le pouvoir d'une élite de plus en plus vaste et complexe. Plusieurs bureaucraties ont cohabité et se sont mélangées dans les différents pays communistes. Partout, la plus puissante était évidemment celle du Parti communiste, à laquelle se sont ajoutées celles des institutions économiques et industrielles, de l'armée, du gouvernement et des appareils centraux de l'État et des diverses républiques. Dans une société qui n'est pas fondée sur la richesse, le rôle de l'individu au sein de la pyramide hiérarchique révèle sa progression sociale et son prestige. Mais, à côté du pouvoir, et en fonction de ce dernier, la *nomenklatura* jouit de privilèges exclusifs, extrêmement importants dans une société socialiste.

**LE DÉGEL**
Le vice-président américain Richard Nixon visite une usine de Moscou, aux côtés de Nikita Khrouchtchev (1959) (ci-contre).

**LA MORT DU CHEF**
Des communistes aux funérailles de Togliatti, à Rome (1964) (ci-dessus).

fonctionnaires du Parti et de l'État, qui s'inquiètent pour leur carrière et leurs privilèges, et par les hommes forts du Comité central, qui ne supportent pas l'individualisme et les caprices du leader ukrainien. Même l'opinion publique, les intellectuels et les technocrates, optimistes après l'ouverture du régime, ont été déçus par Khrouchtchev et sont maintenant indifférents au sort qui l'attend. La victoire des forces conservatrices et le refus de poursuivre les réformes au nom de la stabilité et de l'équilibre du système ne favorisent pas, certes, la reprise du dialogue au sein du camp socialiste.

Parmi les nouveaux dirigeants de l'URSS, on remarque Leonid Brejnev, secrétaire du Parti, Alexeï Kossyguine, président du Conseil, et Mikhaïl Souslov, responsable idéologique. Avec le temps, c'est le premier qui s'imposera, en rétablissant la priorité de l'industrie lourde et de la

défense, sur le deuxième, qui privilégie l'industrie légère et la consommation ; quant au troisième, il demeurera le garant d'un système fortement oligarchique dans lequel Brejnev représente les élites de la *nomenklatura*, désormais unies pour défendre la concentration du pouvoir et les privilèges acquis au fil des ans.

Si Khrouchtchev semblait privilégier – malgré des crises aiguës, comme en 1962 – un rapport nouveau avec le monde capitaliste, aussi compétitif et conflictuel soit-il, Brejnev,

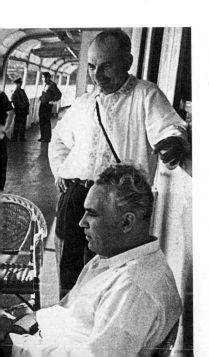

Cela peut être, par exemple, l'accès à certains magasins où l'on trouve des produits absents du marché – souvent des produits occidentaux jugés luxueux et inaccessibles –, sans avoir à subir de longues files d'attente, comme le commun des mortels en URSS, en Pologne ou en Bulgarie. C'est aussi la possibilité d'envoyer sa famille en vacances dans des résidences et des villages aménagés aux endroits les plus beaux, de mettre ses enfants dans les meilleures écoles et de les inscrire à l'Université, en dépit du

*numerus clausus* et des quotas favorables aux classes populaires, d'avoir accès à des informations, des spectacles, des lectures et des voyages interdits à la majorité de la population. Ces privilèges sont souvent l'essence même d'un pouvoir consolidé, qui se renforce et perdure grâce à la solidarité entre les membres de cette élite.

**HOMMES ET SYMBOLES**
En vacances sur la Volga, en 1960 ; de gauche à droite : Andreï Gretchko, Nikolaï Podgorny et Leonid Brejnev (à gauche).

Le palais de la *nomenklatura*, sur la place Youri-Gagarine, conçu par l'architecte Arkine selon les canons esthétiques du stalinisme (ci-dessus).

**L'ESCALADE**
Des soldats américains débarquent
à Qui Nhon, au Viêt Nam du Sud,
le 13 septembre 1965 (ci-contre).

**LE DRAME DE L'INDONÉSIE**
Le président Sukarno au moment
de l'indépendance (1949) (en bas).

lui, préfère résoudre les relations au sein du camp socialiste, de plus en plus menacées par le conflit sino-russe.

Il accorde alors davantage d'autonomie aux pays d'Europe de l'Est, notamment en matière d'économie, et s'adapte aux exigences des partis communistes asiatiques et latino-américains en radicalisant les prises de position en faveur de la lutte et de la révolution. Les aides économiques et militaires à la Corée du Nord, et surtout au Viêt Nam du Nord, qui, depuis 1964, est bombardé par l'aviation américaine de Lyndon B. Johnson, permettent d'éviter que ces deux pays n'entretiennent des rapports privilégiés avec la Chine. L'isolement de cette dernière, à partir de 1966 – avec la « Révolution culturelle » –, favorise le regain d'influence de l'URSS et renforce son rôle auprès des partis communistes asiatiques.

À l'automne 1965, le Parti communiste indonésien – le plus important à l'extérieur du bloc socialiste – est décimé par un massacre qui fait près de 500 000 victimes parmi ses militants, à la suite du coup d'État du général Suharto, qui prive ainsi la Chine de son principal allié sur le continent. En revanche, l'URSS s'ouvre aux hypothèses de lutte armée que les communistes latino-américains incluent – suivant en cela le modèle de la révolution cubaine – parmi leurs possibilités d'action. Ce geste veut rapprocher Cuba de Moscou, après les accusations d'abandon proférées en 1962, mais il révèle aussi la présence de tendances centrifuges et de mouvements de rébellion au sein du communisme.

## L'INDONÉSIE

Au début des années soixante-dix, le Parti communiste indonésien est, avec 20 millions d'inscrits, le plus important de ceux qui ne sont pas au pouvoir. En septembre 1965, un groupe d'officiers liés à la gauche fomente un coup d'État pour protéger le président Sukarno du putsch organisé par des généraux hostiles, mais, mal organisé et coordonné, le complot est vite éventé et réprimé. Le général Suharto

peut maintenant légitimer l'éloignement de Sukarno, accusé de complaisance vis-à-vis des communistes. Des unités militaires fidèles au nouveau leader et aidées par des groupes clandestins de musulmans orthodoxes lancent une chasse aux communistes et à tout sympathisant de la gauche. Pendant six mois, une effrayante série de massacres fait de 250 000 à 2 millions de victimes (selon les sources et les méthodes de calcul), le chiffre le plus vraisemblable

paraîssant osciller entre 500 000 et un million de victimes. Par l'intermédiaire de fonctionnaires de l'ambassade et d'hommes de la CIA, le gouvernement américain livre aux

militaires indonésiens les noms d'environ 4 à 5 000 membres du Parti communiste indonésien – surtout des dirigeants des directions centrale et locales –, qui seront exécutés

**LE LEADER CHARISMATIQUE**
Représentation de Mao Zedong selon les canons de la propagande chinoise, vers 1960 (ci-contre).

## LA RÉVOLUTION CULTURELLE CHINOISE

La fin de la politique du Grand Bond en avant est suivie de nouveaux affrontements politiques au sein de la direction du PCC. L'objet de la discorde est le modèle socialiste de développement que les modérés veulent lier à la priorité de la reprise économique, et les radicaux, à la mobilisation des masses et à la formation d'une conscience révolutionnaire.

Les premiers, qui avaient condamné l'autoritarisme, les excès et les erreurs du Grand Bond en avant, proviennent de l'appareil bureaucratique et économique de l'État ; les seconds, qui voient dans la lutte contre le « révisionnisme » lié aux divergences avec l'URSS une occasion de relance du mouvement d'« éducation socialiste », comprennent quelques dirigeants du Parti et Mao lui-même, auxquels se joignent de nouveaux chefs militaires, notamment Lin Biao.

Le type d'éducation et de propagande en vigueur dans l'armée est désigné comme le modèle à suivre : le « Petit Livre rouge » des citations du président Mao, publié pour la première fois au printemps 1964 et distribué dans les casernes, devient le symbole de cette tendance.

Les divergences au sein du Parti se durcissent autour des questions culturelles et de l'éducation ; les radicaux insistent pour une remise en cause de tout l'appareil de la bureaucratie et veulent que le Parti s'adapte à sa mission future à travers un processus de rajeunissement et de rapprochement des masses. La lutte contre les tendances bourgeoises et révisionnistes est dirigée par Lin Biao et Jiang Qing (épouse de Mao et leader des intellectuels radicaux de Shanghai) et vise plus particulièrement Peng Zhen, le secrétaire du Parti de Pékin, et derrière lui, Liu Shaoqi, président de la République et numéro deux du PCC.

en premier. La crainte que le cinquième pays du monde – par la population – ne devienne communiste, au moment même où l'engagement américain au Viêt Nam s'intensifie, marque le contexte international d'un des plus grands massacres de l'après-guerre.

**LA CHASSE AUX COMMUNISTES**
À Tangerang, près de Jakarta, un soldat contrôle des prisonniers soupçonnés d'être communistes (décembre 1965).

**L'ARMÉE AVEC LE PEUPLE**
Des soldats de l'Armée de libération du peuple accourent pour aider des paysans au moment de la récolte (1968) (ci-contre).

**LE GRAND TIMONIER ET LE FIDÈLE COMPAGNON D'ARMES**
Mao Zedong et Lin Biao à l'époque de la Révolution culturelle, quand leur relation semblait indestructible (ci-dessous).

En mai 1966, les premiers *dazibao* apparaissent à l'université de Pékin : ces affiches à gros caractères critiquent la direction du Parti. Par ailleurs, les premiers groupes de gardes rouges, des étudiants qui crient que « se révolter est juste », mobilisent les jeunes de toutes les classes sociales. Au Parti, ce sont les radicaux qui ont le dessus, légitimant les protestations des étudiants et lançant officiellement la « Révolution culturelle ». Le mouvement enfle rapidement et, en novembre 1962, 2 millions de gardes rouges se retrouvent à Pékin et célèbrent Mao en agitant le livre rouge de ses citations. Le Parti ne maîtrise plus cette agitation sociale permanente qui accompagne le chaos économique et l'effondrement des institutions publiques.

Le paradoxe de la Révolution culturelle, c'est que ce sont les autorités du Parti qui demandent à des forces extérieures – aux masses de jeunes – d'attaquer le Parti lui-même pour le renouveler, mais très vite, elles sont dépassées et ne canalisent plus, comme elles l'avaient prévu, un mouvement incontrôlé et qui veut renverser tout pouvoir dans l'anarchie. La violence, la brutalité et les humiliations publiques vont de pair avec l'essor des gardes rouges, se heurtant à l'armée chargée de défendre les institutions et les structures du Parti. Vers la fin de 1968, malgré des conflits et des tensions un peu partout, le pouvoir en place semble reprendre la situation en main.

# LES « GARDES ROUGES »

Créé dans les universités au début de 1966, à la suite des critiques adressées aux autorités du Parti qui n'avaient pas permis la discussion publique de quelques « cas » culturels très politisés, le mouvement des gardes rouges reçoit dès le début l'appui des radicaux (Jiang Qing et le groupe de Shanghai) et parvient même à survivre à son illégalité, décrétée par Liu Shaoqi. Reconnus officiellement comme des groupes révolutionnaires, les gardes rouges recrutent d'abord chez les jeunes travailleurs, mais l'essor du mouvement les amène à élargir leur recrutement à toutes les classes sociales. Au cours des cinq derniers mois de 1966, plus de 13 millions de gardes rouges viennent à Pékin pour manifester contre le « quartier

général ». Désormais, ils sont aussi dans les usines et représentent toute la génération née au moment de la victoire de la Chine populaire. Les gardes rouges se divisent rapidement en deux clans différents : ceux qui veulent le renouvellement du système – essentiellement de jeunes ouvriers liés à l'aile radicale du Parti, de l'armée et des syndicats – et ceux – surtout des fils d'intellectuels et d'anciens bourgeois ne profitant pas des

avantages de la révolution socialiste – qui insistent pour remettre en cause tout l'establishment en exacerbant les slogans du « Petit Livre rouge », à la fois symbole de leur fidélité à la révolution et à Mao, et de leur autonomie au nom de la révolution. En 1967, la vague de violence – affrontements armés, manifestations d'intimidation, bagarres, humiliations publiques – touche toutes les institutions de l'État et du Parti. À Shanghai, une

sorte d'insurrection débouche sur la création de la commune, modèle qui toutefois ne parvient pas à s'imposer et cède vite la place, dans les régions, aux Comités révolutionnaires, où siègent, aux côtés des rebelles, des membres du Parti et des militaires. À l'été 1968, la situation semble retrouver une certaine normalité, même si les gardes rouges conservent le contrôle des universités. C'est à ce moment que l'on décide de les désarmer et de lancer le processus de rééducation forcée des étudiants dans les campagnes.

**UN NOUVEL ÉLAN RÉVOLUTIONNAIRE**
Une affiche sur les murs de Hongkong (1968) (en haut).

**LES FUTURS GARDES ROUGES**
Jeunes pionniers en 1965, à la veille de la Révolution culturelle (ci-dessous).

**LE « PRINTEMPS » ÉCLÔT**
Un portrait du président Ludvik Svoboda porté par les manifestants du 1er mai 1968, à Prague (ci-contre).

**DANS LES RUES DE LA CAPITALE**
Des portraits de Svoboda et de Dubček dans un magasin de Prague, pendant l'occupation soviétique (en bas).

Pendant deux ans, 6 millions d'étudiants sont envoyés dans les campagnes pour se rééduquer au milieu des paysans. Les secteurs les plus radicaux du Parti sont isolés, tandis qu'une grande partie de l'héritage de la Révolution culturelle devient l'idéologie officielle. Les militaires sont de plus en plus présents dans les organismes dirigeants, à quelque niveau que ce soit, et les cadres sont largement renouvelés, mais pas toujours en faveur des plus jeunes. La nouvelle Constitution transforme le Parti en outil plus souple, soumis au contrôle plus strict de la direction centrale.

Le culte de la personnalité de Mao est au cœur de ce nouveau pouvoir, réorganisé pour mettre fin à l'anarchie et formaliser une promesse de révolution permanente faite à la classe ouvrière, aux paysans pauvres et aux militaires, les référents sociaux du processus en cours.

## LE PRINTEMPS DE PRAGUE ET LA « DOCTRINE BREJNEV »

Alors que « soixante-huit » explose dans toute l'Europe et que les étudiants occidentaux célèbrent Che Guevara et Hô Chi Minh en accusant les partis communistes de s'embourgeoiser et de se compromettre avec le pouvoir, un des pays d'Europe de l'Est où les communistes sont au pouvoir entame un processus de réformes décidées au sommet, phénomène sans précédent. Les marges d'autonomie accordées par l'URSS aux gouvernements des « démocraties populaires » et la dynamique au sein du mouvement communiste international favorisent, en Tchécoslovaquie, la naissance d'un groupe de dirigeants désireux d'orienter différemment le pays. Même si, à l'origine, l'opération se limitait à essayer de lancer une réforme économique radicale pour abolir la rigidité du pouvoir central, libérer davantage les entreprises

Sit-in sur la place Vencenslas, tandis que les Soviétiques avancent sur Prague (ci-contre).

Une jeune Tchèque, avec ses amis, s'élève contre la présence des blindés soviétiques (16 août 1968) (en bas).

et favoriser la consommation et l'industrie légère au détriment de l'industrie lourde, très vite, toute la société se trouve impliquée et bouleversée par cette expérience.

Nommé secrétaire du Parti communiste en janvier, Alexandre Dubček entend les revendications de plus grande liberté exprimées, quelques mois plus tôt, par le Congrès des écrivains. L'abolition de la censure est un premier pas qui enthousiasme l'opinion publique, tout comme l'entrée au gouvernement de personnalités modérées et d'économistes favorables aux réformes. Le nouveau président de la République est Ludvik Svoboda, victime des épurations des années cinquante, car trop indépendant de Moscou, qui remplace le stalinien Novotný. En peu de temps, le changement gagne, non seulement l'appareil du Parti, mais aussi les jeunes et les intellectuels, très désireux d'étendre le processus de démocratisation, particulièrement visible à la radio et à la télévision. On parle de « socialisme au visage humain », un objectif de réformes progressives mais décisives. En avril, le programme de Dubček prévoit plus de droits politiques, une libéralisation plus nette de l'économie et la création d'espaces de démocratie et de pluralisme, considérés encore un an plus tôt comme une véritable hérésie. La dictature du Parti et l'idéologie officielle semblent définitivement mises à l'écart, et on parle avec enthousiasme et espoir du « printemps de Prague ». L'hostilité et l'inquiétude de l'URSS et des autres pays du bloc – surtout la République démocratique allemande d'Ulbricht et la Pologne de Gomulka – ne cessent de croître : avec la poursuite de cette expérience, tous craignent un effet d'entraînement qui, comme en 1956, pourrait devenir incontrôlable.

À maintes reprises, Dubček tente d'assurer les Soviétiques de ce que le « nouveau cours » tchécoslovaque entend rester

### LE « PRINTEMPS » ENTERRÉ
Un blindé soviétique à Prague, en août 1968 (ci-contre).

Un char soviétique s'enfonce dans l'eau, à la suite de l'effondrement d'un pont, près de Karlovy Vary (en bas, à gauche).

### LA RESTAURATION
De jeunes pionnières saluent le secrétaire du Parti communiste tchécoslovaque Gustav Husák au congrès des Jeunesses communistes (1972) (en bas, à droite).

dans le cadre du socialisme, mais le danger de révisionnisme est insupportable pour Brejnev, qui a eu du mal à renforcer le bloc socialiste face au danger du schisme chinois, et Souslov, gardien inflexible de l'orthodoxie idéologique. Le « printemps de Prague » semble remettre en cause les bases mêmes du modèle soviétique : il préconise l'autogestion des usines et les réformes économiques au lieu de la planification centralisée, le fédéralisme – avec les Tchèques et les Slovaques sur le même plan – au lieu du centralisme qui frustre les exigences nationales des divers groupes ethniques, et enfin le droit aux divisions, à la dissidence et au vote secret au lieu de la discipline rigide au sein du Parti. Les rumeurs d'une issue pluraliste possible, permettant à des non-communistes de participer à la vie politique, font voler en éclats la tolérance soviétique. Le secrétaire du PCUS énonce alors ce qui devient la « doctrine Brejnev » :

celle-ci reconnaît une souveraineté limitée aux démocraties populaires et autorise, voire encourage, l'Union soviétique à intervenir dès qu'elle estime que le communisme se trouve en danger dans un des pays du bloc. Dans la nuit du 20 au 21 août, les troupes du pacte de Varsovie envahissent la Tchécoslovaquie et Prague vit le cauchemar des blindés soviétiques, comme Budapest douze ans plus tôt. Pour éviter un bain de sang, et dans l'espoir de ne pas perdre les acquis, les dirigeants du « nouveau cours » sont obligés d'accepter la normalisation imposée par Moscou et de reconnaître le droit « temporaire » de l'armée soviétique à se déployer sur leur territoire. Ensuite, ils seront emprisonnés et mis au ban – politique et social – par le régime de Gustav Husák, un antistalinien qui a participé, lui aussi, au « printemps », avant d'accepter de ramener le pays dans les limites établies par Moscou.

# LE COMMUNISME ET « SOIXANTE-HUIT »

La révolte des jeunes et des étudiants, qui atteint son paroxysme – en termes de radicalisation et d'extension géographique – en 1968, a plusieurs origines et explications. Avant tout, la critique explicite du modèle soviétique de socialisme se traduit par la naissance de groupuscules politiques se définissant comme « la nouvelle gauche ». Les partis communistes sont hostiles à cette nouvelle gauche, puis au mouvement de « soixante-huit », car ils les considèrent comme l'expression de la petite-bourgeoisie et le symptôme d'une crise morale et politique issue du capitalisme. Non seulement,

ils portent un jugement négatif sur les mouvements de lutte, qui n'excluent d'ailleurs pas la violence – comme on l'a vu avec les barricades du mois de mai, en France –, mais ils désapprouvent aussi les assemblées spontanées, dans lesquelles ils voient une régression de type anarchiste qui tourne le dos à la conscience révolutionnaire du communisme. Quant aux groupuscules politiques, souvent le fruit de scissions ou d'expulsions des partis communistes, ils puisent leur idéologie dans le trotskisme ou le maoïsme, ce qui les rend d'emblée suspects, car menaçants pour l'unité du mouvement ouvrier. Le vaste courant de sympathie dont jouit le mouvement étudiant apaise la polémique des communistes, même si ceux-ci feront une distinction entre une base potentiellement utilisable pour le socialisme et les groupes dirigeants toujours condamnés pour leur extrémisme petit-bourgeois. « Soixante-huit »

apparaît donc comme une contestation de l'URSS et du communisme, mais c'est aussi le terreau d'une relance massive du marxisme et d'un retour, non pas du communisme orthodoxe et lié à Moscou, mais d'un communisme qui présente les multiples facettes (léninisme, républiques des « Conseils », trotskisme « à la Rosa Luxemburg », stalinisme « à la Guevara », maoïsme, gramscisme) qui se sont succédé tout au long de son histoire, au XX$^e$ siècle, et que l'on retrouve maintenant sous des formes parfois grotesques et ridicules.

### LE MAI ROUGE

Des étudiants à la Sorbonne (en haut et au centre), alors occupée, et une manifestation dans le quartier Latin, en mai 1968 (en bas).

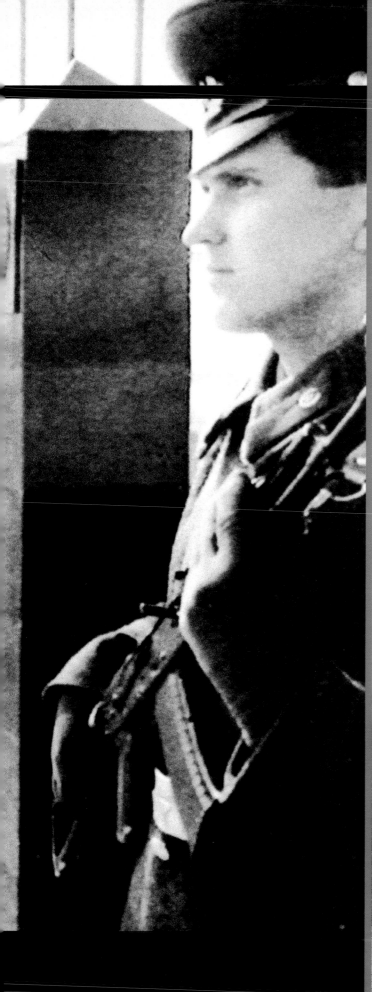

# LES DIFFÉRENTS VISAGES DU COMMUNISME

C'est dans les années soixante-dix que le communisme bat tous ses records : record du nombre d'États à gouvernement communiste, des populations appartenant au camp socialiste, de sa force militaire et économique, mais, en revanche, le consensus idéologique ne mobilise plus comme autrefois.

Les divisions au sein du monde communiste se transforment en affrontements ouverts, avec des conflits armés entre deux pays – Viêt Nam et Cambodge – qui se disent pourtant du même bloc. L'État agresseur parvient à mettre fin à un génocide que l'on croyait impossible, mais que personne n'a voulu arrêter.

**DES GUERRES D'AGRESSION ET UN GÉNOCIDE**
Pages 148-149 :
L'invasion de l'Afghanistan par l'Armée rouge s'avérera un véritable désastre.

Un Khmer rouge arrêté par un jeune soldat du gouvernement, en mai 1973 (à droite).

**LA CAPITALE BOMBARDÉE**
La population, affamée, cherche à se nourrir dans les ruines de Phnom Penh (février 1974) (ci-contre).

Au cours de cette période, l'Union soviétique demeure le symbole du communisme, dont elle constitue le premier pouvoir réel. En présence d'une stagnation économique, qui montre bien les limites de l'économie planifiée, l'URSS choisit de modifier à son avantage l'équilibre international issu de la Seconde Guerre mondiale et qui s'est ramifié avec la guerre froide. C'est ce qui explique la guerre d'Afghanistan, une expansion décidée à froid, à un moment considéré comme favorable à une avancée du communisme sur l'échiquier mondial.

Toutefois, c'est au cours de ces mêmes années que les pays d'Europe de l'Est perdent un peu de leur stabilité, traversent des crises économiques récurrentes et connaissent de nouveaux mouvements sociaux – comme Solidarnosc, en Pologne – contre lesquels la politique traditionnelle de criminalisation et de répression policière ne suffira plus.

## LA DERNIÈRE ILLUSION : VIÊT NAM ET CAMBODGE

Le jour de Noël 1978, le Viêt Nam socialiste envahit le Cambodge socialiste. Deux États gouvernés par un Parti communiste s'affrontent.

Il ne s'agit plus d'un conflit idéologique – aussi grave soit-il –, ni même d'une guerre territoriale, comme cela s'est produit par le passé entre la Chine et l'URSS. C'est une vraie guerre, qui implique deux pays que des partis communistes ont fait accéder, quelques années plus tôt, à l'indépendance et à la victoire sur l'impérialisme américain.

Quand, en avril 1975, les Khmers rouges, dirigés par Pol Pot, entrent à Phnom Penh et quand, deux semaines plus tard, les Viêt-cong s'emparent de Saigon, l'enthousiasme du mouvement communiste international pour la « libération » de l'Indochine est sincère et diffus, mais, apparemment,

**RÉFUGIÉS ET COMMANDANTS**
Des Khmers rouges se réfugient en Thaïlande, en mai 1979 (ci-dessous).

Pol Pot et des leaders des Khmers rouges (ci-contre).

**LE THÉÂTRE DE LA TERREUR ET LE « FRÈRE NUMÉRO UN »**
L'ancien directeur de la prison de Tuol Sleng, où 16 000 Cambodgiens ont trouvé la mort, photographié ici en 1999, après s'être repenti et avoir accepté le procès (ci-contre).

Pol Pot dans la jungle cambodgienne, interviewé, en janvier 1980, par la chaîne de télévision américaine ABC, peu de temps après l'invasion vietnamienne qui chasse les Khmers rouges (ci-dessous).

personne n'a conscience des drames que cela va entraîner. Le plus lourd tribut sera payé par le Cambodge, un pays que ses nouveaux dirigeants jettent rapidement dans une course effrénée à un socialisme singulier et effroyable : 2 millions de personnes – la population de Phnom Penh – sont obligées de quitter la capitale pour se « laver » des valeurs corrompues, bourgeoises et urbaines qu'elles sont accusées de représenter. Elles sont aussi obligées de revenir à une économie paysanne, villageoise, archaïque, dominée par la violence et repliée sur elle-même.

Dirigé par le « Frère numéro un » – c'est ainsi que se fait appeler Pol Pot –, le gouvernement communiste programme un nivellement social par le bas visant à épurer la société de ses intellectuels et cadres, de sa classe moyenne et de ses élites bourgeoises. La répression, qui se transformera vite en véritable génocide – avec 1 600 000 victimes sur une population de moins de 8 millions de personnes –, anéantit les minorités (vietnamienne, chinoise et musulmane) et s'abat sur tous les paysans dont l'attachement à la terre est considéré – de façon encore plus radicale que pendant la collectivisation soviétique – comme un signe d'opposition au socialisme.

Toute la population est militarisée, dans une quête fanatique et obsessionnelle d'un socialisme intégral, paupériste, égalitaire et archaïque, favorisé par la présence de quelques milliers de « spécialistes » envoyés par la Chine. Les récalcitrants, qui n'embrassent pas avec enthousiasme l'idéologie du nouvel État, risquent l'épuration, qui frappe toujours et partout, y compris au sein du Parti communiste. Une école de Phnom Penh – Tuol Sleng –, transformée en prison, symbolise, avec Santebal, la police secrète et la terreur à laquelle le Parti soumet le pays. Celle-ci ne prendra fin

## POL POT

En 1970, tandis que le prince Norodom Sihanouk est renversé par le coup d'État du général Lon Nol – soutenu par les Américains –, le Parti communiste cambodgien se déchire en deux factions opposées. L'une d'elles, dirigée par Pol Pot (pseudonyme de Saloth Sor ou Saloth Sar), secrétaire général depuis 1962, est soutenue par la Chine et entend s'opposer aux forces de Sihanouk et prendre plus nettement ses distances avec Hanoi ;

quant à l'autre, elle veut conserver l'alliance avec les Viêt-cong et défend l'idée d'un gouvernement neutre dans l'intérêt de toute l'Indochine. Entre 1969 et 1973, les États-Unis bombardent le Cambodge de façon intensive, notamment les régions frontalières avec le Viêt Nam et les campagnes ; à partir de 1973, ces opérations s'étendent jusqu'à la capitale, Phnom Penh. Le choix fait par Nixon et Kissinger de jeter sur un pays neutre trois fois plus de bombes que sur le Japon pendant la Seconde Guerre

mondiale déclenche le recrutement de guérilleros, qui se mettent au service de l'extrémiste et sectaire Pol Pot. Arrivé au pouvoir, celui-ci impose à tout le pays un modèle de vie communautaire et agraire, testé dans les bases rouges pendant la guérilla, il abolit d'autorité l'argent, le commerce, la religion et toute forme de propriété, et, surtout, déclenche des massacres qui prennent vite les proportions d'un véritable génocide.

De retour dans

les montagnes après l'invasion vietnamienne, il s'abandonne la direction des Khmers rouges, vers la moitié des années quatre-vingt, et meurt en 1998.

**LE RIDEAU TOMBE
SUR LE DRAME**
Son Sen, chef militaire des Khmers rouges, rentre au Cambodge en novembre 1991 (ci-contre).

**UN CAMP DE RÉFUGIÉS**
Un réfugié cambodgien se nourrit grâce à l'aide humanitaire (octobre 1979) (en bas, à gauche).

Des réfugiés cambodgiens dans un des nombreux camps mis en place à l'est de la Thaïlande (en bas, à droite).

qu'avec l'arrivée de 150 000 soldats vietnamiens et de 15 000 patriotes cambodgiens qui s'étaient réfugiés à l'étranger au cours des années précédentes.

Derrière le conflit entre le Cambodge et le Viêt Nam apparaît la guerre sino-russe, rendue encore plus intense avec le rapprochement entre la Chine et les États-Unis. Ces deux gouvernements imposent effectivement à l'ONU de laisser le siège cambodgien aux Khmers rouges, alors que l'URSS protège et aide les Vietnamiens, aux prises avec un autre drame qui prend des proportions effrayantes : les *boat people*.

Des centaines de milliers de personnes quittent le pays à bord de petites embarcations de fortune pour fuir la faim ou la dictature communiste, bien décidées à débarquer en Thaïlande ou en Indonésie, en Malaysia ou encore aux Philippines, à condition de survivre à la fureur de l'océan ou aux attaques des pirates. Des dizaines de milliers de *boat people* perdent ainsi la vie, mais ceux qui s'en sortent lancent de très lourdes accusations contre le régime communiste. La reconstruction du pays, ravagé par une guerre interminable et les pilonnages, est rendue encore plus difficile par les problèmes de l'unification entre le Nord et le Sud. Symbole, pendant des années, des combats pour la liberté et contre les abus et l'arrogance de l'Occident, le Viêt Nam doit lutter pour consolider son pouvoir, et même employer la violence pour arrêter celle – encore plus terrible et destructrice – perpétrée par son voisin.

Le mythe du socialisme qui libère les hommes et les unit dans la fraternité ne pouvait pas être plus rapidement et radicalement démenti qu'en Indochine.

**LE PARTI DE BERLINGUER**
Enrico Berlinguer pendant un meeting de Georges Marchais, à Paris (1976) (ci-contre).

Meeting du Parti communiste italien à Porticello, en Sicile (1977) (en bas).

## L'EUROCOMMUNISME

À l'époque où les partis communismes orientaux connaissent une crise dramatique, les partis européens doivent, eux aussi, réfléchir en profondeur à leur rôle et à leurs stratégies. Pendant quelques années – de 1975 à 1977 –, les partis communistes italien, français et espagnol envisagent une voie occidentale et démocratique au socialisme : c'est ce que l'on a appelé l'« eurocommunisme ». L'intention est d'éviter tout anti-américanisme ou anti-soviétisme et de dépasser la logique des blocs militaires sans demander de sortir de l'OTAN et en acceptant le système parlementaire et pluraliste.

Le secrétaire du Parti communiste italien, Enrico Berlinguer, est le premier à parler d'« eurocommunisme » ; il reconnaît le rôle important des pays socialistes dans la consolidation de la paix mondiale, mais il ne les considère plus comme un modèle économique ou politique. Vingt ans après le XXᵉ Congrès, le choix démocratique des partis communistes européens semble définitivement opéré, sans aucune ambiguïté, du moins en Europe de l'Ouest. Si l'on aboutit au socialisme par la voie de la démocratie et des réformes, les anciennes divisions avec la social-démocratie semblent se dissiper, surtout si l'on n'envisage plus l'éventuelle conquête

**EUROCOMMUNISTES DE PART ET D'AUTRE DES ALPES**
Georges Marchais, secrétaire du PCF, s'entretient avec le journaliste J.-P. Elkabbach, à Paris (ci-contre).

Carte du PCI, en 1976 (à droite).

Enrico Berlinguer à la fin d'un meeting, à Rome (mai 1975) (en bas).

du pouvoir comme un point de non-retour, mais bien comme une phase d'un processus qui ne remet pas en cause l'alternance démocratique des partis politiques et des coalitions. Une fois son identité perdue, le communisme occidental ne peut qu'évoluer avec pragmatisme, en adaptant l'option démocratique aux contextes nationaux et aux problèmes locaux, et en abandonnant toute hypothèse d'hégémonie et de dictature du Parti. Le trait saillant de l'eurocommunisme apparaît en négatif : c'est le refus du modèle soviétique et de la possibilité de le mettre en œuvre, même pacifiquement. Par ailleurs, pour tout le reste, les trois partis communistes – italien, espagnol et français – se séparent et avancent chacun de leur côté, sans hypothèses ni ambitions communes. L'espagnol est le plus déterminé à rompre avec l'idéologie du passé : il rejette globalement l'expérience soviétique. Le français, quant à lui, est plus nuancé et prudent,

par crainte de perdre un électorat encore attaché aux mythes de l'URSS. Pour ce qui est du PCI, il réduit le grand tournant qu'il avait annoncé à un projet de collaboration avec la Démocratie chrétienne : pour entrer au gouvernement, il accepte de renoncer à toute pratique réformatrice.

C'est au cours de la rencontre de Madrid, en mars 1977, que la perspective d'une accélération de la stratégie eurocommuniste finit par se transformer en crise. L'hostilité de l'URSS et les pressions sur les partis communistes occidentaux finissent par porter leurs fruits, démontrant ainsi que le rapport au premier État socialiste demeure, encore et toujours, le point critique et décisif pour une redéfinition de l'identité communiste. La volonté de rupture de Santiago Carrillo n'était pas conciliable avec le réflexe idéologique et sentimental d'appartenance d'un Georges Marchais ou avec la prudence d'un Enrico Berlinguer, qui évitait toute

## ENRICO BERLINGUER

Secrétaire du Parti communiste italien entre mars 1972 (élu par acclamation au XIII⁰ Congrès) et juin 1984 (il meurt d'une congestion cérébrale pendant un meeting électoral), Berlinguer représente la jeune génération qui a approché le communisme pendant la Seconde Guerre mondiale et qui remplace celle des fondateurs du Parti. Lié à l'élaboration des voies nationales vers le socialisme, il propose, après le coup d'État chilien, en septembre 1973, une stratégie de « compromis historique » entre les grandes forces populaires italiennes, car il est convaincu qu'une simple majorité parlementaire ne peut suffire pour vraiment changer le pays. En 1976, époque du plus grand succès électoral de son parti, il se déclare en faveur des gouvernements de solidarité nationale pour combattre le terrorisme et la crise économique, et accepte une position de second plan, derrière les démocrates-chrétiens et les socialistes. Il voit dans la pratique de l'« austérité » la base matérielle et morale de la construction d'un nouveau modèle de développement. Il critique de plus en plus le système soviétique, condamnant l'occupation de la Tchécoslovaquie et l'état de guerre en Pologne, et il assure que « la poussée propulsive de la révolution d'octobre est finie ».

**LA DÉTENTE DIFFICILE**
Richard Nixon et Leonid Brejnev à bord du navire américain *Séquoia* (mai 1975) (ci-contre).

**LES COMMUNISTES EN PLEIN JOUR**
Le secrétaire du Parti communiste portugais Alvaro Cunhal à une rencontre de son parti, enfin sorti de la clandestinité (en bas, à gauche).

Une peinture murale glorifie la révolution portugaise d'avril 1974 (en bas, à droite).

opposition trop nette avec les Soviétiques. La saison de l'eurocommunisme est trop courte pour constituer – à l'échelon international – une référence significative. Son incapacité à sortir de l'équilibre précaire entre volonté de modernisation et respect de la tradition le fragilise face aux attaques des réformateurs et des orthodoxes.

Pour réussir, la « troisième voie » aurait dû se doter d'une identité plus forte, mais celle-ci a été affaiblie et occultée par le choix de la démocratie : elle n'apparaît ni dans les propositions d'alternative au capitalisme ni dans les projets d'un socialisme vraiment différent.

## LE COMMUNISME AFRICAIN

L'échec américain au Viêt Nam et le scandale du Watergate qui éclate en même temps convainquent les dirigeants soviétiques que les États-Unis sont entrés dans une phase de déclin et de crise, dont il leur faut profiter. Cette lecture hâtive de la nouvelle situation internationale et des affaires intérieures américaines induit Brejnev à envisager – pour la première fois depuis le début de la guerre froide – une phase d'expansion et d'agression dans le cadre de sa politique étrangère. Parallèlement, avec la hausse considérable des recettes assurées par le pétrole à partir du « choc » de 1973, l'URSS s'imagine pouvoir aller encore plus loin sur le plan économique, alors que la situation est en réalité bloquée et sur le point de stagner complètement.

La prolifération des conflits en Afrique, où la pénétration soviétique a rencontré de nombreuses difficultés et n'est pas parvenue à se réorganiser après l'échec de Lumumba au Congo, à l'époque de la décolonisation, lui offre sa première occasion d'étendre son influence en dehors des équilibres internationaux traditionnels.

# DEUX MONDES MILITAIRES S'OPPOSENT

Dans les années quatre-vingt, les forces armées soviétiques atteignent leur apogée, tant du point de vue quantitatif que qualitatif. À la mort de Brejnev, en 1982, environ 5 millions d'hommes sont en service permanent, en plus d'une « défense civile » qui peut compter sur 25 millions de personnes. Malgré la présence de commissaires politiques qui révèle encore le pouvoir politique du Parti sur l'armée, la hiérarchie militaire jouit d'un pouvoir et d'une influence considérables ; elle fait partie intégrante de ce « complexe militaro-industriel » qui domine toute la vie économique et politique et draine la plupart des ressources financières. Le niveau technologique de l'armée soviétique n'a cessé de progresser depuis les années soixante, pour obtenir ses résultats majeurs dans le domaine spatial, surtout avec ses missiles. Au début des années quatre-vingt, l'URSS en possède effectivement des milliers, et les Américains pratiquement autant ; leur portée, leur localisation et leurs performances garantissent aux deux adversaires un potentiel nucléaire trois fois supérieur à celui qui serait nécessaire pour survivre en cas d'éventuelle agression et pour réagir et écraser l'attaquant. La logique des complexes militaro-industriels et de leur essor semble s'être affranchie de la logique de dissuasion qui avait justifié la course aux armements des années cinquante et soixante.

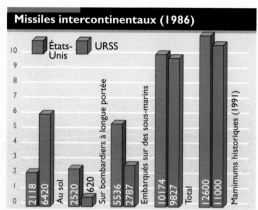

**Missiles intercontinentaux (1986)**

| | États-Unis | URSS |
|---|---|---|
| Au sol | 2118 | 6420 |
| Sur bombardiers à longue portée | 2520 | 620 |
| Embarqués sur des sous-marins | 5536 | 2787 |
| Total | 10174 | 9827 |
| Maximums historiques (1991) | 12600 | 11000 |

Tandis que les États-Unis ont développé essentiellement des missiles balistiques intercontinentaux, l'Union soviétique s'est dotée également de missiles balistiques à bord de sous-marins et de bombardiers capables de voler des bases arctiques jusqu'aux États-Unis sans être ravitaillés. Au sol, les forces armées peuvent compter sur 2 millions d'hommes et 100 000 blindés. La marine comprend, quant à elle, 500 000 hommes et se partage entre les flottes du Nord, du Pacifique, de la mer Baltique et de la mer Noire, avec 300 navires et autant de sous-marins, dont une centaine à propulsion nucléaire. 400 000 hommes servent dans l'aviation et disposent de 6 000 avions et de 3 000 hélicoptères de combat, en plus d'un système sophistiqué de missiles de défense antiaérienne. Face à cette puissance et à la menace qu'elle semble constituer, surtout après l'invasion de l'Afghanistan, Ronald Reagan adopte un programme de développement et de modernisation de l'armée dont les coûts sont vertigineux. Fondamentalement, son projet repose sur une hypothèse de

« guerre des étoiles » et d'un bouclier spatial, pivot d'un dispositif complexe de défense basé sur des technologies laser et des missiles antimissiles, qui, nonobstant leur réalisation incertaine, pourraient obliger l'URSS à poursuivre son armement, dont les coûts entraîneraient une crise économique de tout son système.

Dès le début de l'époque Gorbatchev, on assiste à une inversion de tendance : les dépenses militaires passeront de 8,4 % du PIB en 1987 (16,1 % du budget global) à 8,3 et 8,2 les deux années suivantes, pour chuter à 7,1 % en 1990 (13 % du budget de l'État).

**AU MONDE ET À LA NATION**
Ronald Reagan annonce de nouvelles initiatives en matière de défense stratégique (1983) (en haut, à gauche).

**TRANSPORTEUR DE MISSILES NUCLÉAIRES**
Un sous-marin soviétique Delta IV (1989) (au centre).

**UN HÔTE VENU DES ÉTATS-UNIS**
Sese Seko Mobutu reçoit Cassius Clay dans son palais (à gauche).

**PLACE DE LA RÉVOLUTION**
Portrait de Mengistu sur une place d'Addis-Abeba : à l'origine, Marx et Lénine se trouvaient à ses côtés sur la photo (ci-contre).

**LA FIN DU COLONIALISME PORTUGAIS**
Des soldats du MPLA dans un village proche de Luanda en décembre 1975 (en bas).

Après la « révolution des œillets », qui instaure la démocratie au Portugal et démantèle le dernier empire colonial, l'Afrique méridionale et occidentale aborde la dernière étape de son processus d'indépendance. Toutefois, en Angola, l'affrontement entre le mouvement de libération d'inspiration socialiste (le MPLA) et celui qui était lié au Zaïre de Mobutu et à l'Occident (le FNLA) rend plus incertain le destin d'une région stratégique pour l'avenir de l'Afrique australe. Brejnev envoie des armes et des aides, par l'intermédiaire d'un contingent de soldats cubains, et implique pour la première fois directement le bloc socialiste dans un conflit post-colonial. L'aide de l'URSS à l'Éthiopie de Mengistu est encore plus incisive, alors que le pays est engagé dans une guerre contre la Somalie – ancienne alliée de Moscou – pour le contrôle de l'Ogaden. Selon Brejnev, il suffit que le pouvoir féroce et personnel de Mengistu se déclare officiellement socialiste pour en faire une référence du bloc socialiste dans la Corne africaine. Il en est de même en mer Rouge, au Yémen du Sud, devenu une république à tendance socialiste dès 1970 et qui se lie maintenant de façon plus stable à l'Union soviétique.

## L'INVASION DE L'AFGHANISTAN ET LA MORT DE BREJNEV

L'expansionnisme et le militarisme de la nouvelle stratégie de Brejnev, qui enterre définitivement l'espoir de détente né à Helsinki en 1975, apparaissent dans toute leur évidence en Afghanistan. En 1978, le Parti communiste avait organisé dans le pays un coup d'État qui avait écarté Mohammed Daoud, lui-même auteur, cinq ans plus tôt, d'un coup d'État militaire qui avait renversé le roi. La politique de

**LES GUÉRILLEROS DU PEUPLE CONTRE L'ENVAHISSEUR**
Des rebelles afghans en pleine action de guerre (1980) (ci-contre).

Des moudjahidin afghans, armés, surveillent un groupe de prisonniers de l'armée nationale (en bas).

modernisation – souvent de façade et formelle – entreprise par le gouvernement communiste se heurte à la résistance des traditionalistes islamiques ; de même, le processus de centralisation suscite l'opposition d'ethnies et de clans qui jouissaient jusqu'alors d'une certaine autonomie et qui organisent des révoltes armées dans de nombreuses provinces.

En décembre 1979, l'armée soviétique envahit l'Afghanistan pour le contrôler directement : elle veut ainsi déplacer les équilibres internationaux dans la région et transformer rapidement le pays en un nouvel État satellite.

L'invasion provoque des réactions dans le monde entier et est condamnée par de nombreux partis communistes, surtout à l'Ouest. Des guérillas s'organisent rapidement contre la présence soviétique, et des groupes islamiques armés, aidés par le Pakistan, l'Iran et les États-Unis, empêchent les

Soviétiques d'occuper tout le territoire national. Au début, les difficultés des Afghans sont telles que Brejnev ne se sent pas menacé. Sa politique se fonde sur des compromis avec les différentes élites nationales, auxquelles il accorde encore davantage de privilèges, la création d'un clan familial élargi et ramifié et une discipline du Parti exacerbée par un conservatisme obsessionnel. La société est écrasée et tétanisée par cette dynamique du pouvoir, et les couches les plus sacrifiées sont les cadres techniques et scientifiques, dont le nombre a augmenté démesurément au cours des dix années précédentes. À sa mort, en novembre 1982, Brejnev laisse le pays dans une situation catastrophique : la production stagne, les infrastructures sont obsolètes, la bureaucratie est inefficace et paralysée par trop de rigidités administratives, la corruption du secteur public ne cesse de croître et la main-d'œuvre est insuffisante pour permettre

le développement quantitatif qui caractérisait l'économie soviétique depuis les années trente.

Son successeur, Youri Andropov, directeur du KGB pendant quinze ans, comprend que des réformes économiques et politiques radicales sont nécessaires et il favorise l'insertion de dirigeants plus jeunes au plus haut niveau du Parti.

## SOLIDARNOSC ET LA CRISE DE L'EST

Tandis que la Russie de Brejnev affiche des ambitions expansionnistes, le bloc socialiste traverse des crises qui minent sa stabilité, surtout en Europe de l'Est.

En Pologne, en 1976, Edward Gierek est obligé – comme son prédécesseur Gomulka – d'augmenter les prix des produits alimentaires et de durement réprimer les protestations qui s'ensuivent. Après de nombreux procès et arrestations, les ouvriers et les étudiants s'unissent pour la première fois contre le régime, plus au nom de la solidarité que d'une opposition politique à laquelle plus personne ne semble croire. L'activité de ces groupes vise à attirer l'attention sur les droits civils, à promouvoir des actions de type syndical pour défendre les droits et les intérêts des travailleurs, à créer des formes d'éducation, de propagande et de résistance (journaux, universités privées, appels, publications) qui, du reste,

# LE KOR, COMITÉ DE DÉFENSE DES OUVRIERS

En 1976, la révolte ouvrière polonaise se déchaîne contre l'augmentation de 60 % des prix alimentaires. Des grèves spontanées ont lieu, d'abord à Radom, où le siège du Parti communiste est incendié, puis à Ursus (à quelques kilomètres de la capitale), où les ouvriers de l'usine de tracteurs sont battus et arrêtés en grand nombre. Varsovie et Lódz connaissent également une vague de protestations qui menace la stabilité d'un gouvernement mis en place après la crise de 1970, elle aussi déclenchée par les grèves des ouvriers du littoral balte. Gierek renonce alors à cette augmentation, mais en même temps, il réprime et jette en prison des milliers de personnes.

C'est donc pour défendre les droits des travailleurs incarcérés que le KOR (Komitet obrony robotnikóv), la principale structure de lutte organisée contre le régime, voit le jour, en octobre 1976. Mobilisé pour assurer la défense juridique des citoyens, la collecte de fonds et une information objective, le KOR transmet à la société civile et au monde occidental le point de vue des conseils ouvriers, favorisant ainsi une relation de plus en plus étroite entre les ouvriers, les étudiants, les intellectuels et les hommes d'Église. Les paroisses, fortes d'une organisation diffuse, que l'élection de Karol Wojtyla a rendue également plus audacieuse, deviennent des lieux de résistance contre le régime, tandis que des portraits du pape et de la « vierge noire » de Czestochowa apparaissent aux grilles des usines en grève et dans les manifestations de travailleurs. Dirigé par des intellectuels engagés depuis longtemps contre le régime, le KOR marque la naissance théorique de ce qui deviendra – après les luttes de 1979-1980 – le premier syndicat autonome né dans une démocratie populaire, Solidarnosc.

**ENTRE LA LUTTE ET LA PRIÈRE**
Les délégués du premier Congrès national de Solidarnosc, à Dantzig (1981), se mettent à genoux pendant la messe. Au centre, Lech Walesa (ci-dessus).

Un débat (à gauche) et la célébration de la messe (à droite), au milieu des grévistes des chantiers de Dantzig.

**VERS UN NOUVEAU MONDE**
Une imprimerie clandestine de Varsovie, en 1981, publie des affiches vantant la première constitution polonaise de 1791 (à gauche).

Le Premier ministre polonais Wojciech Jaruzelski aux cérémonies du 1er mai 1981 (ci-contre).

Le pape Jean-Paul II bénit la foule, à l'occasion du 600e anniversaire de la Madone de Czestochowa, devant le sanctuaire (19 juin 1983) (en bas).

se répandent, malgré la clandestinité imposée par le gouvernement, à tous ceux qui veulent s'exprimer librement. L'affrontement entre la société civile – unie par sa contestation du pouvoir communiste – et les institutions de l'État se fait plus fort et plus visible quand le cardinal de Cracovie, Karol Wojtyla, est élu pape, en octobre 1978, sous le nom de Jean-Paul II. En 1979, agitations et grèves spontanées s'étendent, à partir de Dantzig et du littoral balte, à tout le pays ; en août, le premier syndicat libre dans un pays socialiste voit le jour : Solidarnosc impose sa présence et peut compter sur un consensus de plus en plus vaste chez les travailleurs de tous les secteurs.

Comme cela s'est déjà produit plusieurs fois, le Parti est déchiré entre les réformateurs et ceux qui préconisent une répression plus dure. Après l'échec d'une tentative de médiation de l'Église, Gierek doit laisser le gouvernement aux mains du général Jaruzelski, tandis que la base du Parti s'intéresse de plus en plus à l'action concrète et courageuse du nouveau syndicat. La crainte d'une intervention soviétique au nom de la « doctrine Brejnev » pousse Jaruzelski à déclarer la loi martiale, le 12 décembre 1981 : tous les dirigeants de Solidarnosc sont arrêtés et l'organisation est mise hors la loi, même si elle est désormais trop enracinée dans la société pour être éliminée. La solidarité et la désobéissance civile forcent les autorités à révoquer l'état de guerre au bout d'un an et, grâce aussi au voyage de Jean-Paul II en Pologne en 1983, à entrer en contact avec l'opposition.

Dans les autres démocraties populaires, les formes d'action sont moins spectaculaires et efficaces, mais toutes témoignent

**UN DICTATEUR ENCORE AU POUVOIR**
Le président roumain Nicolae Ceaucescu, en compagnie de son épouse Elena, pendant une croisière en mer Noire (ci-contre).

**LES HÉRITIERS DU « PRINTEMPS »**
L'écrivain tchécoslovaque Vaclav Havel, entre deux de ses nombreuses arrestations (Autriche, 1976) (en bas, à gauche).

Manifestations pour le 1er mai 1978, à Prague (en bas, à droite).

d'une grave crise de légitimité et de représentativité des régimes communistes qui s'est accrue après l'invasion de Prague, en 1968.

En Tchécoslovaquie, justement, le gouvernement resserre son étau, déjà omniprésent, sur la société, sans toutefois parvenir à éviter que la question des droits de l'homme ne se pose avec les nouvelles formes de lutte et d'organisation. Le mouvement Charta 77 est né pour défendre les résolutions d'Helsinki, signées, entre autres, par le gouvernement tchécoslovaque, et il essaie de favoriser une prise de conscience non idéologique contre le régime en organisant et en aidant l'action de citoyens qui osent manifester publiquement leurs idées. L'écrivain Vaclav Havel – un des promoteurs du mouvement – est arrêté à plusieurs reprises, tandis

que le régime réprime les protestations ouvrières contre des conditions de vie de plus en plus intolérables. La situation se présente un peu mieux en Hongrie : les timides réformes de Kádár sont associées à une plus grande liberté d'expression et de critique, tolérées dans l'espoir d'éviter la formation d'une opposition de l'envergure de celle qui existe en Pologne. En Roumanie, c'est tout à fait le contraire qui se produit : à l'extérieur, le pays revendique une plus grande autonomie vis-à-vis de Moscou, mais à l'intérieur, le pouvoir instaure un régime policier de plus en plus violent, basé sur un culte croissant de Nicolae Ceaucescu et sur l'arrogance de plus en plus envahissante de sa famille.

## LA CHINE APRÈS MAO

En août 1973, au Xe Congrès du PCC, Lin Biao est accusé des excès et des erreurs commis pendant la Révolution

culturelle. Deng Xiaoping, dont la chute, en 1966, a consacré la victoire de la stratégie maoïste, est désigné à la vice-présidence du Conseil en 1974. Le modèle de développement fondé sur un volontarisme diffus, le refus de la technologie étrangère et l'exploitation intensive des paysans n'est, pour l'instant, pas remis en cause.

En 1976, les deux figures les plus connues et les plus prestigieuses de la Chine communiste quittent la scène : Chou En-lai meurt en janvier, et ses funérailles sont accompagnées d'une participation populaire massive et émouvante qui se poursuivra pendant plusieurs mois, avant d'être réprimée par les autorités ; Mao Zedong décède en septembre, et les célébrations grandioses et officielles imposées par le Parti semblent être la consécration du nouveau leader du Parti, Hua Guofeng, désigné par le Grand Timonier en personne, dont la dépouille embaumée repose dans un mausolée en verre sur la place Tien An-men. En octobre, la « bande des quatre » est arrêtée ; il s'agit de la veuve de Mao, Jiang Qing, et de trois autres dirigeants de l'aile radicale de la Révolution culturelle. Les accusations de trahison, nationalisme et espionnage semblent conclure la phase la plus aiguë et la plus violente de la lutte pour le pouvoir que Hua entend gérer dans la continuité de l'action de Mao, tout en prêtant une oreille aux idées et aux projets de l'opposition.

Deng Xiaoping, qui avait de nouveau été démis de ses fonctions en avril, revient au Comité central en 1977 et parvient, en un an et demi, à relativiser le pouvoir de Hua Guofeng et à se présenter comme l'inspirateur de la ligne du Parti. Il tolère les manifestations au « mur de la Démocratie » – un mur de la citadelle où se trouve le siège du Parti et du gouvernement – et encourage des critiques

plus ouvertes et incisives des années de la Révolution culturelle. Les étudiants distribuent alors des revues clandestines, la hausse du chômage favorise de nouveaux conflits sociaux et des millions de jeunes envoyés de force dans les campagnes au cours des années précédentes reviennent dans les villes et prétendent récupérer leur statut de citoyens urbains.

Comme cela s'était déjà produit par le passé, ces mêmes hommes qui se disent favorables à l'ouverture et à la critique font machine arrière dès les premiers signes d'instabilité ou de déséquilibre trop menaçant. Au printemps 1980, Deng Xiaoping propose d'arrêter les chefs de la révolte démocratique et il demande que l'on supprime, dans la Constitution, la liberté d'expression, de débat et d'affichage des *dazibao* et que soit réaffirmée la dictature du Parti. Rappelant l'actualité et l'autorité du marxisme-léninisme et de la pensée de Mao, il redistribue le pouvoir au sein du Parti. Entre 1980 et 1981, le procès public de la « bande des quatre » lui sert de tribune idéologique et rhétorique ; en même temps, il démet Hua Guofeng de ses fonctions de Premier ministre, puis de président du Parti, qu'il confie à des réformistes qui lui sont proches, et se réserve la présidence de la Commission militaire centrale, véritable cœur du pouvoir en Chine populaire.

Désormais sûr de son contrôle absolu des institutions politiques et de son pouvoir d'anéantir toute opposition, le triumvirat composé de Deng Xiaoping, de Hu Yaobang (à la tête du Parti) et de Zhao Ziyang (chef du gouvernement) entreprend des réformes économiques et sociales.

### À LA TÊTE DE LA CHINE NOUVELLE
Troisième session du Comité central du Parti communiste de Chine, en décembre 1978 : les troisième et quatrième à partir de la gauche sont le secrétaire Hua Guofeng et le secrétaire adjoint Yen Chien-ying ; le deuxième est Deng Xiaoping (en haut).

### LA RÉFÉRENCE IDÉALE
Une statue de Mao s'élève derrière le Palais de l'industrie de Chengdu, dans le Sichuan (1980) (ci-dessus).

### DE NOUVELLES INSTANCES AUX PORTES DU PALAIS
La porte méridionale de la Cité interdite, à Pékin (1973) (ci-contre).

# LA « BANDE DES QUATRE »

La mort de Lin Biao, au début de l'année 1971, ravive les contrastes entre les diverses factions internes du PCC et entre les candidats à la succession de Mao Zedong. La faction des intellectuels de Shanghai qui, en 1970, avait dû céder devant l'aile « militaire » de Lin Biao est maintenant à la tête du groupe des radicaux, qui avaient constamment demandé une accélération de la Révolution culturelle. Le leader reconnu des radicaux est Jiang Qing, l'épouse de Mao, accompagnée des deux dirigeants de la commune de Shanghai (Zhang Chunqiao et Yao Wenyuan) et du jeune chef du Parti de cette même ville (Wang Hongwen, 36 ans), appelé en 1972 par Mao au Bureau politique du Parti où, bien accepté par les militaires et les anciens leaders de l'organisation, il devait représenter les radicaux. Avec le programme de la Révolution culturelle, ceux-ci remportent un grand succès au X^e Congrès, en août 1973. La « bande des

quatre », comme on l'appelle maintenant, reprend les critiques contre Chou En-lai et les tenants d'une normalisation visant à rétablir l'ordre dans le pays. Mao prend ses distances de son épouse et de son groupe et permet le retour de Deng Xiaoping à la tête de l'État pour remplacer Chou En-lai, gravement malade. Le conflit entre la bureaucratie du Parti et de l'État, grande victime de la Révolution culturelle, et les radicaux s'intensifie au lendemain de la mort de Chou En-lai, objet, avec Deng Xiaoping, d'attaques de plus en plus insistantes, et même de propos diffamatoires. Toutefois, ce dénigrement ne plaît pas aux

étudiants, qui honorent le vieil homme d'État de commémorations et de manifestations contre la « bande des quatre ». Après la mort de Mao, Jiang Qing et ses alliés ne sont plus protégés et n'ont plus aucun appui à la direction du Parti. Leur arrestation – suivie de neuf mois d'expulsion du Parti et, quatre ans plus tard, d'un procès de propagande – marque le retour

à la normalisation. Condamnée à mort avec Zhang Chunqiao, Jiang Qing se suicidera en prison, dix ans plus tard, en 1991.

**LA CONDAMNATION DE LA RUE**
Une manifestation contre la « bande des quatre », en janvier 1977 (à gauche).

Wang Hongwen, à gauche de Chou En-lai, photographié lors de la visite de Pompidou à Pékin (1973) (ci-dessous).

**L'ÉPOUSE DU LEADER ET LE JEUNE PROMETTEUR**
Jiang Qing en 1973 (ci-dessus).

# DE LA PERESTROÏKA À LA CHUTE DU COMMUNISME

C'est lorsque, pour la première fois, le communisme se montre réellement réformateur que la crise va s'aggraver au cœur même de l'Empire soviétique et qu'il va s'empêtrer dans des contradictions qui vont accélérer son déclin. Ce sera la fin d'un régime géopolitique d'envergure mondiale, d'un bloc de pouvoir immense et articulé, d'une économie composite qui s'est opposée au concept de marché, mais qui s'est progressivement laissé conditionner par lui, et la fin d'une idéologie qui avait attiré dans son orbite de nombreux pays récemment devenus indépendants.

**DEUX VOIES DIFFÉRENTES**
Pages 166-167 :
Une statue de Lénine jetée dans un champ, près de Bucarest : on est en 1995 (à gauche).

Une manifestante tente d'arrêter l'avancée des soldats, sur la place Tien An-men, en mai 1989 (à droite).

**LE DERNIER 1er MAI**
La fin de la manifestation du 1er mai 1989 à Ourguentch, en Ouzbékistan.

Tout au long du XXe siècle, le communisme a présenté plusieurs visages – et masques – différents, mais ils avaient toujours un dénominateur commun : la sacralité du pouvoir, l'idée qu'en s'emparant de lui et en l'exploitant, on peut changer la société selon un plan préétabli. En fait, ce sont les avatars des sociétés socialistes qui, avec le bouleversement mondial, ont eu raison du communisme, lequel s'est écroulé sur lui-même, comme les briques du mur de Berlin.

Ses vestiges – Cuba, la Corée du Nord et la colossale Chine – ont été transformés par les événements de 1989. L'ouverture de la Chine au marché, qui cohabite avec le monopole du pouvoir politique détenu par le Parti, ne semble pas en contradiction avec une crise qui a tué le communisme aussi vite et soudainement qu'elle l'a fait naître, soixante-dix ans plus tôt.

## GORBATCHEV ET LA PERESTROÏKA

Moins de trois ans après la mort de Brejnev, le plus jeune membre du Politburo, Mikhaïl Gorbatchev, devient secrétaire général du PCUS.

En mars 1985, le monde apprend la mort de Konstantine Tchernenko, qui, malade, avait succédé, un an plus tôt, à Youri Andropov, lequel avait lui-même rempli ses fonctions pendant un peu plus d'un an.

Tchernenko appartenait à la vieille garde conservatrice et avait essayé d'empêcher les réformes politiques et économiques amorcées par Andropov. Ce dernier avait d'ailleurs réussi à faire entrer quelques jeunes réformateurs à la direction du Parti, ce qui s'avéra en fait sa plus importante réforme, car c'est ce qui permit à Gorbatchev, qui n'avait que 54 ans – par rapport à la moyenne d'âge de la *nomenklatura* soviétique, il était très jeune –, de devenir

**LA RESTRUCTURATION INDUSTRIELLE**
Des ouvrières au travail dans une usine de Bratsk, en 1988 ; au milieu de l'atelier est accroché un portrait de Lénine.

**LA** *GLASNOST*
Une affiche, à Odessa, en 1988, exige la « transparence » dans l'analyse sans censure des crimes staliniens (ci-contre).

**LA NOUVELLE DÉTENTE**
Ronald Reagan et Mikhaïl Gorbatchev lors de leur premier sommet à Genève, en novembre 1985 (en bas).

l'homme le plus puissant de l'URSS ; le nouveau secrétaire voulait exploiter au mieux ce pouvoir pour changer le pays, ce qu'Andropov n'avait pas eu le temps de faire.

À l'époque, l'Occident est convaincu que l'URSS est une réalité immuable, pénalisée par un régime sclérosé, une bureaucratie monolithique et une société civile éclatée et victime du monopole de l'information et des répressions. Comme d'autres dirigeants soviétiques, Gorbatchev pense que la crise du pays ne peut se résoudre que grâce à des réformes profondes et courageuses. On retrouve d'ailleurs cette même aspiration dans les couches les plus cultivées de la société, c'est-à-dire ce vaste secteur doté d'une formation technico-scientifique, sacrifié pendant les années de la « stagnation » brejnévienne, et qui a payé par de profondes frustrations économiques et professionnelles l'arrogance et la corruption d'une bureaucratie toute-puissante et incompétente.

La réforme lancée par Gorbatchev repose sur deux mots clefs : *perestroïka* (restructuration) et *glasnost* (transparence). Le premier signifie une revitalisation de l'économie, à travers davantage de pouvoir et d'autonomie donnés aux dirigeants et aux divers secteurs de production, dans l'espoir que cette liberté croissante débouche sur un marché ouvert et dynamique. Le second entend mettre fin aux rapports basés sur le mensonge et la méfiance entre le pouvoir et la société : il s'agit donc d'affranchir l'information de l'idéologie, en favorisant une plus grande liberté d'expression et en essayant de rendre public et ouvert le débat politique et culturel.

**LA RUSSIE DE GORBATCHEV**
Un drapeau pour le
XXVII° Congrès du PCUS, à
Moscou (1986) (ci-contre).

De nombreuses personnes
attendent l'ouverture d'un magasin,
à Leningrad (1987) (en bas).

Ce sont surtout les intellectuels, les artistes et les scientifiques qui appuient cette quête de vérité ; ils profitent d'ailleurs de la fin de la censure (de fait, pas encore de droit) pour multiplier les analyses et les réflexions et dire la vérité sur le passé et le présent du régime communiste.

Des films et des romans sur l'époque stalinienne accompagnent les récits des survivants du Goulag ou des résistants et des dissidents. Des enquêtes dans la presse dénoncent les gaspillages et la corruption, la misère et les aspirations des citoyens, et les privilèges de la *nomenklatura*. Et c'est contre cette dernière que s'élève le mécontentement de la majorité de la population ; cette condamnation concerne aussi bien l'aile conservatrice que les courants réformateurs d'un parti considéré comme responsable de conditions de vie extrêmement difficiles. En effet, les changements économiques semblent destinés à aggraver la situation, du moins à court terme. Sur les étals, on ne trouve plus de produits en abondance et à bas prix : seules sont disponibles de petites quantités, et uniquement au marché noir. Le compromis souhaité entre planification et marché libre, entre performance économique et soutien social, débouche en fait sur le chaos et les incertitudes, les abus et la corruption croissante, le gaspillage et la désorganisation. La production industrielle patine, l'inflation monte en flèche

**L'IMAGE D'UN LEADER
ENCORE EN PROGRESSION**
Gorbatchev apparaît sur un écran
géant, installé sur une place de
Moscou (1986) (ci-contre).

**LA RÉSISTANCE
AUX FRONTIÈRES DE L'EMPIRE**
Un jeune soldat surveille un
carrefour du centre de Kaboul
(1985) (en bas).

et la dette publique ne cesse de croître. Dans ce contexte, l'appui d'un vaste mouvement social au projet de réformes apparaît peu crédible et fort aléatoire, tandis que le boycottage de la bureaucratie, la résistance des couches privilégiées et l'opposition de l'aile conservatrice, encore forte au sein du PCUS et de l'appareil de l'État, s'affirment de plus en plus. Le Parti communiste demeure, certes, le pivot du pouvoir, mais on essaie de promouvoir une mobilité et une dynamique internes plus grandes. En 1987, la possibilité de candidatures opposées est admise, et en 1988, la réforme constitutionnelle prévoyant un système présidentiel est approuvée. En

mars 1989, plus de la moitié du Congrès des députés du peuple – chargé d'élire ensuite le président de l'URSS – est élue par bulletin secret, après une campagne où des candidats d'horizons différents se sont affrontés sur des programmes et des stratégies politiques. La position de Gorbatchev en sort apparemment renforcée.

Les dynamiques contradictoires qui animent le pays empêchent toutefois le secrétaire du PCUS d'opérer des choix clairs entre l'aile réformatrice, préférée par l'opinion publique de la Fédération russe, et la *nomenklatura* du Parti, qui essaie partiellement de résister, ou mise même sur une restauration. L'équilibre et l'habileté de

**LA HONGRIE VERS LA LIBERTÉ**
Karoly Grosz, secrétaire du Parti socialiste du travail, alors au pouvoir en Hongrie, est photographié au théâtre Jurta, à Budapest, le 1er mai 1989 (ci-contre).

**UN AIR DIFFÉRENT**
Des soldats soviétiques dansent avec de jeunes Hongroises dans les rues de Sarbogard (en bas).

GRÓSZ KÁROLY

Gorbatchev ne suffiront pas face à la radicalisation de la crise économique et aux agitations nationalistes qui se manifestent dans les pays Baltes et dans les républiques du Caucase et d'Asie centrale.

## LA CRISE DU COMMUNISME EN EUROPE DE L'EST

La politique étrangère soviétique, depuis 1985, favorise un nouveau climat international, marqué par une réelle détente entre l'Est et l'Ouest. Le refus explicite de la « doctrine Brejnev » par Gorbatchev et sa décision de retirer les troupes soviétiques d'Afghanistan convainquent les gouvernements des démocraties populaires que l'habitude qu'avait Moscou de s'ingérer dans leurs affaires appartient au passé. En outre, la persistance de la crise économique dans tout l'Est et la diminution progressive des aides soviétiques persuadent une bonne partie des pays communistes de s'ouvrir quelque peu à l'Occident et à libéraliser leur système. Ce choix semble ouvrir la porte à la dissidence et aux groupes d'opposition qui, de l'intérieur de la société civile et du Parti lui-même, envisagent une remise en cause globale du socialisme. C'est en Hongrie que les réformes économiques prudentes et la permissivité culturelle modérée ont permis de réduire au minimum le recours à la répression. Toutefois, à partir de 1985, une nouvelle génération de réformateurs conteste ouvertement Kádár, qui doit accepter la création de syndicats autonomes et tolérer des candidatures libres aux élections. En 1986, alors que l'insurrection de Budapest – dont la répression par les blindés soviétiques avait été approuvée par Kádár lui-même, alors au pouvoir – fête son 30e anniversaire, les images de la révolte diffusées par la télévision et le débat public très vif qui les accompagne témoignent de l'existence de nouveaux espaces de liberté que la société hongroise a su

**RENCONTRE ENTRE
CHEFS D'ÉTAT**
Mikhaïl Gorbatchev et son épouse
Raïssa rencontrent, à Prague, le
président tchécoslovaque, Gustav
Husák (en bas).

**ENTRE RÉFORMES
ET RÉPRESSION**
Le père Jerzy Popieluszko
célèbre la messe dans l'église
Saint-Stanislas de Cracovie,
quelques jours avant son
enlèvement et son assassinat
par des agents du ministère
de l'Intérieur (octobre 1984)
(ci-contre).

conquérir. Kádár doit alors se retirer et il cède la direction du Parti et du gouvernement à Karoly Grosz. Celui-ci, convaincu de la nécessité d'une politique d'austérité et de sacrifices, est prêt à accorder, en échange, davantage de liberté à l'information et à l'opposition. En 1988 se constitue le Forum démocratique : cette organisation, qui se dit unitaire et à même de défier démocratiquement le pouvoir communiste, regroupe les oppositions et les voix critiques les plus diverses entendues au cours des dernières années du régime.

En Pologne, les rapports entre le gouvernement et l'opposition s'intensifient, même si la tension reste vive et s'aggrave quand le prix Nobel de la paix est remis à Lech Walesa et, surtout, quand le prêtre catholique Jerzy Popieluszko est assassiné, en 1984. L'arrivée de Gorbatchev accélère le processus de détente et aplanit la voie vers la collaboration nécessaire entre gouvernement et opposition.

En 1987 a lieu un référendum dont les résultats révèlent qu'une très grande majorité de la population est favorable à l'ouverture économique au marché libre, fin du monopole de la politique détenu par le Parti communiste, et à la démocratisation réelle de la vie publique. La participation politique aux manifestations organisées par Solidarność s'étend à tout le pays, tandis que les nouvelles mesures législatives introduites par le gouvernement s'avèrent inappropriées, parce qu'elles ne répondent pas à la volonté de changement et de modernisation exprimée par la société.

C'est à l'occasion d'un voyage de Gorbatchev à Varsovie que le ministre de l'Intérieur et les dirigeants de Solidarność décident ensemble de convoquer, pour le début de l'année 1989, une table ronde chargée d'aboutir à un accord sur les réformes dont le pays a un besoin urgent. En Tchécoslovaquie, la situation de l'opposition est plus

**UN RÉGIME AUTOCRATIQUE
PROCHE DE LA FIN**
Dans les rues de Brasov, en Roumanie,
les files d'attente pour acheter du pain
sont longues (1985) (ci-contre).

Le Président Nicolae Ceaucescu
(en bas, à gauche).

**UN RETOUR
AUX SOURCES IDÉALES**
Des manifestants sur la place
Tien An-men, à Pékin, exhibent une
photo de Mao (mai 1989) (en bas,
à droite).

difficile, car l'appareil répressif maintient une robuste discipline sociale, avec toutefois de plus en plus de mal. Le succès personnel de Gorbatchev au cours de son voyage à Prague, en 1987, souligne bien le décalage croissant entre le Parti communiste – dont sont exclues toutes les forces réformatrices – et la société civile.

En 1988, à l'occasion du 70ᵉ anniversaire de la naissance de la Tchécoslovaquie indépendante, une foule immense brandit le portrait du leader du « printemps de Prague », Alexandre Dubček, et celle de l'écrivain Vaclav Havel, grande personnalité du mouvement Charta 77.

## ENTRE DÉMOCRATIE ET RÉACTION

La dynamique déclenchée dans le monde communiste par la politique de Gorbatchev en URSS n'est pas partout aussi claire qu'en Hongrie, en Pologne et en Tchécoslovaquie, encore que, même dans ces pays, les contradictions aient été nombreuses. En Bulgarie, les réformes qui devaient permettre au pays de suivre l'évolution soviétique restent lettre morte, tandis qu'en Roumanie, la répression du régime de plus en plus personnel de Nicolae Ceaucescu commence à se heurter à une recrudescence des problèmes ethniques et à la demande de plus de démocratie exprimée par la minorité hongroise.

Mais les plus grandes contradictions apparaissent essentiellement dans le pays qui, avec la Russie, symbolise depuis des dizaines d'années l'expérience historique même du communisme, à savoir la Chine. À partir de la seconde moitié

**UNE LONGUE ANNÉE D'ESPOIR**
Mikhaïl Gorbatchev et son épouse Raïssa auprès du leader chinois Deng Xiaoping, à Pékin (mai 1989) (ci-contre).

**LE LENDEMAIN**
La place Tien An-men, juste après le massacre, jonchée de carcasses de véhicules militaires incendiés (en bas).

des années quatre-vingt, les espaces ouverts par les réformes de Deng Xiaoping permettent à différentes formes de contestation – souvent guidées par des étudiants – de s'exprimer. Se référant au Mouvement du 4 mai 1919 (considéré comme le véritable début du long processus révolutionnaire qui s'est conclu avec la victoire de 1949), les jeunes s'opposent au pouvoir de la bureaucratie et promettent de « réveiller les idées démocratiques effacées depuis trop longtemps », comme on peut le lire dans un tract distribué à Shanghai en 1986. En 1987, le XIIIᵉ Congrès du Parti entérine la politique des réformes : Deng Xiaoping peut donner sa démission du Comité central et voit dans l'élection de Zhao Ziyang au poste de secrétaire général l'affirmation de ses propres idées. Les réformes favorisent davantage de liberté d'action et une plus grande disponibilité de biens à consommer, mais l'urbanisation rapide du pays et l'exode rural sont accompagnés d'une hausse du chômage et des inégalités sociales. La dynamique économique remporte, certes, de gros succès, mais elle engendre aussi de nouvelles tensions. En 1989, la Chine célèbre le 60ᵉ anniversaire du Mouvement du 4 mai 1919 et les 40 ans de la République populaire. Les jeunes profitent de l'occasion pour demander une accélération des réformes et insistent pour qu'aux espaces de liberté économique s'ajoute une réelle démocratisation. À partir du mois d'avril, les manifestations se multiplient sur la place Tien An-men, réunissant jusqu'à 100 000 personnes, et le point culminant sera le bain de foule réservé à Gorbatchev à son arrivée à Pékin. Le 17 mai, un million d'étudiants se déclarent solidaires du groupe qui a entamé une grève de la faim, mais l'ampleur de la contestation risque de rendre la situation incontrôlable. Dans la nuit du 3 au 4 juin, les blindés envahissent la place et chassent les étudiants, faisant des

# LE TÉMOIN

« J'ai passé la nuit sur les marches du monument des Héros du peuple. J'ai pu assister à toute la fusillade et au meurtre des étudiants et des citoyens perpétré par l'armée. Bon nombre de mes camarades ont été tués, mes vêtements sont encore imprégnés de leur sang. Comme j'ai eu la chance de m'en sortir et que j'ai tout vu, je veux raconter ce massacre à tous ceux qui, dans le monde, aiment la paix. Sincèrement, nous savions depuis l'après-midi que l'armée voulait nous supprimer. Nous avons été prévenus par téléphone que la place allait être envahie et nettoyée. Nous avions vingt-trois mitrailleuses et quelques bombes incendiaires, mais nous avons décidé de les remettre pour montrer que nous voulions obtenir la démocratie par des moyens non violents. Un officier nous a répondu qu'il avait reçu l'ordre de ne pas accepter nos armes. La négociation avait échoué. À 1 heure du matin, nous avons détruit les mitrailleuses et les bombes incendiaires. Ensuite, l'Union des étudiants nous a dit que la situation était gravissime, qu'un bain de sang semblait inévitable et

que les étudiants et les citoyens devaient quitter la place. Je mentirais si je disais que nous n'avions pas peur. Mais nous avions encore cette impression mystérieuse d'être chargés d'une mission. Nous étions prêts à nous sacrifier pour la démocratie et le progrès de la Chine. [...] À 4 heures, juste avant l'aube, les lumières de la place se sont éteintes tout d'un coup. Un haut-parleur a ordonné de " nettoyer la place ". J'ai senti un coup à l'estomac et je n'ai pensé qu'une chose : c'est le moment. Plusieurs grévistes de la faim ont négocié avec les troupes et se sont mis d'accord pour faire partir les étudiants. Tandis que nous étions sur le point de

quitter la place, vers 4 h 40, de nombreuses fusées rouges ont embrasé le ciel et les lumières se sont rallumées. [...] Les troupes et les policiers qui avaient entouré le monument ont détruit nos haut-parleurs, nos imprimantes et nos réserves d'eau. Ensuite, ils ont commencé à cogner et à faire dégringoler les étudiants en bas des marches. Nous nous tenions par la main et avons crié : " L'armée du peuple n'attaquera pas le peuple ", mais nous avons

commencé à reculer. Soudain, on a entendu le bruit d'une mitrailleuse. Des soldats, à genoux, commençaient à tirer. [...] Une foule d'étudiants court vers les camions militaires pour se mettre entre eux. Il y eut une bousculade et de nombreuses personnes ont été piétinées à mort. Le chaos le plus complet régnait sur la place. Je n'aurais jamais pensé que mes camarades auraient été aussi courageux. Certains se sont lancés contre les camions, les ont renversés et sont ainsi parvenus à se frayer un passage. Avec 3 000 autres étudiants, je me suis mis à courir sous une pluie de balles et nous sommes arrivés à l'entrée du Musée d'Histoire [...]. »

**L'ESPOIR TRAHI**
Des manifestants sur la statue de la place Tien An-men, la veille du massacre (en bas).
Avant l'aube, les camions militaires allument leurs moteurs (en haut).

**UN AMÉRICAIN EN POLOGNE**
Lech Walesa assiste, aux côtés de George Bush, à l'inauguration du monument aux victimes de la révolte de 1970, à Dantzig (ci-contre).

**DES FUNÉRAILLES PUBLIQUES**
Des étudiants de Berlin-Est célèbrent les funérailles du stalinisme (en faisant un jeu de mots sur STASI, le nom de la police secrète), après la chute du Mur (en bas).

centaines de morts. Des milliers de personnes sont arrêtées. Le bilan de la répression, qui se poursuit pendant plusieurs mois dans tout le pays et semble bloquer le processus de réformes amorcé par le gouvernement chinois. La direction du Parti est encore une fois remaniée et cette opération est menée – comme toujours – par Deng Xiaoping. Le nouveau secrétaire général est Jiang Zemin, un dirigeant de second plan qui procède à une épuration efficace des hautes sphères du Parti et de l'État. La politique des réformes économiques se semble pas remise en cause, mais elle doit rester une fin en soi et ne pas empiéter sur le politique et les institutions publiques, toujours soumis au contrôle du Parti communiste.

## L'ANNÉE 1989

Dès le début de l'année 1989, on sent que s'intensifient les contradictions au sein des démocraties populaires d'Europe de l'Est. En Pologne, Lech Walesa obtient la tenue d'une table ronde autour de laquelle prennent place le gouvernement et les représentants de Solidarność : en avril, elle établit les étapes du processus de pluralisme syndical, la réforme économique libérale, la réforme parlementaire et la révision des pouvoirs du chef de l'État.

Le pays, qui n'a pas connu d'élections libres depuis quarante-cinq ans, en fait enfin l'expérience en juin 1989. La loi prévoit 65 % des sièges de la Chambre (Sejm) pour les partis au

**LA FIN DE LA GUERRE FROIDE**
Les blindés soviétiques quittent la
Hongrie le 25 avril 1989
(ci-contre).

**LES DERNIÈRES IMAGES
DE L'ALLEMAGNE DE L'EST**
Une petite fille recueille de l'argent
pour les manifestants de Berlin-Est
(octobre 1989) (en bas, à gauche).

Une famille venue de RDA traverse
la frontière austro-hongroise, enfin
ouverte aux Allemands (en bas,
à droite).

gouvernement, tandis qu'au Sénat, les candidatures sont libres. Solidarność obtient 99 % des sièges disponibles au Sénat et 35 % des voix à la Chambre : un succès massif, supérieur à toutes les prévisions. En vertu d'un accord entre le leader du syndicat et la direction communiste, le général Jaruzelski est élu par le parlement à la présidence de la République et, en août, le premier gouvernement non communiste de toute l'Europe de l'Est voit le jour. Le chef en est un intellectuel catholique, conseiller de Lech Walesa et de Solidarność , Tadeusz Mazowiecki.

La Pologne est définitivement sortie du communisme grâce à un compromis d'envergure historique qui a évité toute violence et a permis un passage à une économie de marché et à la démocratie, difficile certes, mais stable et durable. Une Constitution provisoire encadre le processus. Le Parti communiste polonais se dissout et devient plutôt de type social-démocrate. En 1991, deux représentants de Solidarność s'affrontent pour l'élection présidentielle : Walesa, qui la remportera, en incarne l'âme populiste et nationale.

En Hongrie également, le passage à la démocratie a été pacifique. Au début de 1989, le pays se prépare à devenir un État de droit, jouissant de la liberté de presse et de rassemblement et doté de plusieurs partis prêts à renaître. Les victimes de l'insurrection de 1956 – d'Imre Nagy au cardinal Mindszenty – sont réhabilitées. Les représentants du Forum démocratique remportent les élections, tandis qu'en octobre une nouvelle Constitution – approuvée par référendum – consacre la République de Hongrie et établit les élections du nouveau parlement, qui devra désigner le président. La consultation populaire se tient en mars 1990 et accorde un grand succès

**À LA VEILLE
DE LA DISSOLUTION
DE L'EMPIRE**
Le démantèlement du « rideau
de fer » à la frontière orientale
de l'Autriche (ci-contre).

Une réfugiée venue d'Azerbaïdjan
a dû s'adapter et s'est installée
dans un ancien réservoir à eau
(Arménie, 1994) (en bas).

aux démocrates. En mai, la démolition du « rideau de fer » commence avec l'Autriche, et en septembre, les Est-Allemands qui arrivent en Hongrie comme touristes peuvent traverser librement la frontière austro-hongroise.

C'est précisément à cette époque que des manifestations de jeunes se multiplient à Berlin-Est ; des associations se forment et des débats libres se tiennent dans les églises protestantes. L'enthousiasme s'étend à toute la population, notamment à Dresde et à Leipzig, tandis que des techniciens et des diplômés continuent de quitter le pays. À la mi-octobre, Honecker abandonne la direction de l'État, du Parti et de l'armée. Le 4 novembre, un million de Berlinois demandent des libertés et des réformes, alors que le nouveau secrétaire du Parti, Egon Krentz, nomme un gouvernement qu'il place sous la direction d'un réformateur, Hans Modrow. Le 9 novembre 1989, profitant d'une décla-

ration ambiguë du porte-parole du gouvernement, une foule composée essentiellement de jeunes s'attaque au Mur, ouvre des passages et laisse éclater sa joie devant les caméras du monde entier : après avoir été séparés pendant des dizaines d'années, les Allemands se retrouvent enfin. C'est l'apothéose d'une longue transformation qui a modifié le paysage de l'Europe de l'Est et qui met un point final à l'expérience historique du communisme.

## LA CHUTE DU MUR

Après la manifestation du 4 novembre, où un million de personnes ont défilé dans les rues de Berlin-Est en chantant « Nous sommes le peuple » et « Nous ne sommes qu'un seul et même peuple », les nouveaux dirigeants cherchent désespérément des solutions innovantes pour sortir de ce qui est apparemment une impasse. Le soir du 9 novembre, le Politburo approuve presque sans discuter la clause supplémentaire aux normes d'émigration : « Les voyages privés à l'étranger peuvent être demandés sans satisfaire aucune condition particulière. » Avec le recul, cela sera considéré comme une erreur impardonnable, car la clause ne tient pas compte du contexte

dans lequel elle a été formulée. Peu après, vers 19 heures, le porte-parole du gouvernement, Günter Schwabowski, répond à un journaliste en lui lisant une déclaration de Krentz, le nouveau chef du Parti, selon lequel « il est possible de présenter des demandes de voyages privés et d'obtenir rapidement les autorisations ». L'information se répand comme une traînée de

poudre, tout le monde étant convaincu que l'autorisation concerne également le passage à Berlin-Ouest. La foule enfle et se réunit autour du Mur, tandis que les gardes sont pris au dépourvu et finissent par croire, eux aussi, les rumeurs sur les nouvelles normes. Les officiers permettent donc à ceux qui le demandent de passer de l'autre côté du Mur. À minuit, des centaines de mil-

liers de personnes le franchissent, tandis que les plus désinvoltes commencent allègrement à le démolir, au milieu des Berlinois qui chantent leur joie à tue-tête. En une seule nuit, la situation géopolitique, qui était devenue immuable dans l'esprit de plusieurs générations, est bouleversée – les images de Berlin sont retransmises en direct dans le monde entier – et cède la place à une vision de l'avenir pleine d'espoir, de liberté et, pour les Allemands, de perspectives de réunification.

### L'UNITÉ RECOMPOSÉE
Un enfant prend part à la démolition du Mur, le 11 décembre 1989 (en haut).

La foule fête l'événement le long du Mur, sous les yeux des militaires au repos (ci-dessous).

**DE NOUVELLES RÉFÉRENCES**
Le cortège funèbre du leader indépendantiste géorgien Merab Kostava se déploie dans les rues de Tbilissi (1989) (ci-contre).

**LA LENTE TRANSFORMATION**
Comme cela a été la coutume pendant des dizaines d'années, les portraits des « meilleurs » ouvriers sont exposés à l'entrée d'une usine de Yalta (1988) (en bas).

## LE DÉFI DES NATIONALISMES ET LA FIN DE L'URSS

La crise économique n'est pas la seule entrave à l'œuvre de réformateur de Gorbatchev. Avec le temps, les espaces de liberté dégagés par la *glasnost* permettent à des forces jusqu'à présent réprimées de s'imposer de façon inattendue et dangereuse. C'est le cas du nationalisme, étouffé par les tendances impériales de cette Russie qui se voyait au centre du monde et qui bafouait les aspirations des diverses républiques et nationalités de l'Union soviétique.

La crise économique, les revendications liées à la fois aux injustices passées et aux égoïsmes actuels sont autant d'éléments favorables à la radicalisation du nationalisme et à la prolifération des rivalités ethniques. Le manque de ressources accentue en outre les conflits entre les diverses républiques dont les dirigeants jouent la carte du natio-

nalisme et de la haine ethnique pour se justifier devant leur peuple et essayer d'arracher à Moscou un soutien et des aides. Juste au moment du retrait des troupes d'Afghanistan, en 1988, le Karabagh – une région autonome et à majorité arménienne en Azerbaïdjan – est le théâtre de manifestations en faveur du rattachement à l'Arménie ; de plus en plus violentes, ces émeutes dégénèrent en massacres dont les victimes sont la minorité arménienne en Azerbaïdjan et la minorité azérie en Arménie.

En janvier 1989, le gouvernement soviétique place le Karabagh directement sous son contrôle, avant de le remettre à l'Azerbaïdjan, à la fin de l'année, lequel lui retire son autonomie et entreprend un nettoyage ethnique contre les Arméniens. Deux ans plus tard, les victoires de la guérilla arménienne entraîneront une réplique – en sens inverse – des violences et du nettoyage ethnique.

**LES PAYS BALTES :
LA RÉPÉTITION GÉNÉRALE**
La foule réunie sous les fenêtres
de la police, après l'attaque de
l'armée soviétique, le 21 janvier
1991, à Riga, en Lettonie.

La lutte pour une plus grande autonomie des républiques se transforme vite en une véritable poussée indépendantiste dans d'autres régions de l'URSS.

Les pays Baltes, la Moldavie, la Géorgie, l'Ukraine se mobilisent et affaiblissent le gouvernement moscovite, lequel ne sait s'il doit user de la force pour rétablir l'ordre ou, au contraire, encourager ces républiques à sortir de l'Union. Cette réponse molle et ambiguë ne fait que renforcer les mouvements nationalistes, dirigés généralement par des leaders communistes locaux qui cherchent un nouveau rôle et une légitimation populaire. La diminution des ressources disponibles et la gravité de la situation économique poussent vers des choix radicaux dont on ne parvient pas toujours à prévoir les conséquences. En mars 1990, la Lituanie proclame son indépendance, suivie de près par les autres pays Baltes, l'Estonie et la Lettonie.

Le gouvernement soviétique réagit par un embargo économique, tandis que les maires de Moscou et de Leningrad soutiennent les sécessionnistes. Otage des forces conservatrices du Parti et de l'armée, Gorbatchev ordonne aux troupes d'intervenir. Sous la pression de l'imposante mobilisation en faveur des Lituaniens et des condamnations venant de l'étranger, il les retire et promet un référendum sur le traité qui devrait reconstruire l'URSS sur un nouveau modèle fédéral.

À la fin de l'année, la majorité en Géorgie et en Ukraine se prononce en faveur de l'indépendance, et en janvier 1991, la Lituanie est de nouveau dans la tourmente, après l'attaque menée par les troupes spéciales du ministère de l'Intérieur contre les locaux de la télévision, qui fait des dizaines de morts. Le mois suivant, 90 % des Lituaniens votent en faveur de l'indépendance.

## LE COUP D'ÉTAT

Le 19 août, l'agence Tass informe qu'a été créé un Comité d'urgence de huit membres, parmi lesquels le président du KGB (V. Kriouckov), le ministre de la Défense (le maréchal Iazov), le ministre de l'Intérieur (B. Pougo) et le vice-président de l'URSS (G. Ianaev). Le but de ce comité, qui a renversé Gorbatchev parce qu'il le jugeait incapable de « remplir ses fonctions », est de ramener l'ordre dans le pays et d'empêcher la désintégration de l'Union. La censure est rétablie et l'état d'urgence sera introduit pour au moins six mois. La réaction populaire est immédiate, même si elle n'est le fait que d'une minorité. Elle est soutenue par les maires de Moscou, G. Popov, et de Leningrad, A. Sobtchak, et surtout par Boris Eltsine, président de la Russie. L'armée, divisée et dépassée par les événements, n'obéit plus aux ordres de répression – celle-ci aurait dû être particuliè-rement dure et sanglante. À l'étranger, l'opinion publique de tous les pays et les gouvernements condamnent le coup d'État et offrent leur aide à l'opposition. En deux jours, le putsch s'épuise et l'opposition peut, à juste titre, pavoiser. Le soir du 21 août, Gorbatchev rentre à Moscou, éprouvé physiquement, mais fier de ne pas avoir cédé aux pressions de ceux qui l'ont isolé en Crimée. Néanmoins, après avoir nommé les putschistes à la tête de la société soviétique et s'être progressivement éloigné des démocrates les plus radicaux et des réformateurs, il ne représente plus le pays, qui a déjà trouvé son nouveau leader en la personne de Boris Eltsine, l'homme qui lui fera tourner le dos à son passé communiste.

**LES NOUVEAUX DIRIGEANTS DE LA FÉDÉRATION RUSSE**
Le président Boris Eltsine tend le poing en signe de victoire, après l'échec du coup d'État (ci-contre).

**UNE IMPASSE DÉLICATE**
Un blindé sur la place Rouge, le 19 août 1991 (en bas).

L'affrontement entre les démocrates et les conservateurs est tel qu'aucune médiation n'est possible. Défendant les premiers, Boris Eltsine est élu président de la République de Russie lors des premières élections au suffrage universel, mais son programme radical de réformes économiques est repoussé par Gorbatchev. Ce dernier subit effectivement les pressions des conservateurs et il en nomme même plusieurs à des postes de responsabilité, au lieu de choisir des réformateurs convaincus, par exemple, le ministre des Affaires étrangères, Édouard Chevarnadze. Pour les tenants du retour à l'ordre, cela ne suffit pas : le 19 août 1991, un comité d'état d'urgence dépose Gorbatchev et proclame l'état de siège. Les divisions au sein de l'armée et l'opposition populaire ont fait échouer le coup d'État. Gorbatchev revient à Moscou, mais désormais sans aucun pouvoir réel. Après qu'Eltsine a suspendu, en Russie, les activités du PCUS et dissous le KGB, après également que l'Ukraine a exprimé presque à l'unanimité sa volonté d'être indépendante, les présidents de Russie, de Biélorussie et d'Ukraine proclament la naissance d'une Communauté d'États indépendants (la CEI), à laquelle adhèrent huit autres républiques, le 21 décembre.

L'Union des Républiques socialistes soviétiques n'existe plus et le 31 décembre, Gorbatchev annonce officiellement sa dissolution. Au bout de presque soixante-quinze années, l'expérience communiste semble avoir conclu sa parabole historique.

# L'APRÈS-COMMUNISME

Le communisme s'est effondré avec le mur de Berlin, il s'est désintégré avec l'Union soviétique et semble avoir définitivement conclu son histoire, malgré la présence de quelques partis communistes encore au pouvoir après les bouleversements de la période 1989-1991. D'un point de vue purement géographique, le destin du communisme pourrait paraître moins sombre. À part Cuba, qui a toujours été une anomalie dans le camp socialiste, même au moment de son rapprochement maximal avec l'URSS, les pays qui sont encore gouvernés par des communistes sont tous en Asie : la Chine, le Viêt Nam et la Corée du Nord. Or, si le XXIᵉ siècle est celui de l'Asie, comme beaucoup le pensent, on ne pourrait imaginer

**SYMBOLES DU PASSÉ, VALEURS DU PRÉSENT**
Une sculpture monumentale de Hô Chi Minh, dans une ruelle banlieue vietnamienne (ci-dessus).

Une grande statue de Staline, brisée en plusieurs morceaux, sert de toile de fond pour un reportage de mode à Budapest (1990) (en haut).

de meilleurs auspices pour la renaissance de cette idéologie, malgré les terribles revers qu'elle a essuyés. Mais le communisme est-il encore vraiment un acteur du monde contemporain ? Son expérience n'appartient-elle pas plutôt à l'Histoire ? La réponse ne peut venir que de la Chine, le plus grand pays communiste, y compris en termes démographiques. Le choix d'une ouverture – certes, bien encadrée et partielle – au marché libre est le fruit d'une prise de conscience des limites structurelles de la croissance possible avec une économie planifiée et de la découverte de la mondialisation, elle-même fortement marquée par le capitalisme. Sur le plan économique et social, le

socialisme semble donc reculer partout sous la poussée du néo-libéralisme. Et pourtant, contrairement à ce qu'avait soutenu la doctrine du marxisme-léninisme à partir des années vingt, le pouvoir communiste s'est apparemment consolidé – et non pas affaibli – là où il y a eu une ouverture au marché, ne serait-ce que contradictoire et limitée. Alors, pourquoi la Russie, qui, en 1927, au moment de la révolution, entrait dans la crise de la NEP, prélude au stalinisme, était-elle malgré tout le phare du socialisme et un espoir pour la révolution, alors que dix ans après la mort du communisme russe et européen, la Chine ne se propose pas comme leader et exemple d'avant-garde ? En 1989, avec la

chute du mur de Berlin, on a vu également s'effondrer l'espoir dans les idéaux qui ont accompagné – de façon de plus en plus théorique toutefois au cours des dernières décennies – l'histoire du communisme. On observe la fin de la confiance dans un système qui s'est opposé au capitalisme, plus étendu et plus fort, et plus personne ne croit dans la possibilité de créer sur les prémices théoriques et pratiques du communisme une société et un monde plus justes et plus libres. Que le communisme – tel qu'il s'est concrétisé dans l'Histoire – ne soit pas parvenu à répondre à ces exigences est devenu une évidence aux yeux des plus lucides, qui avaient pourtant espéré ou même combattu pour la révolution juste après la victoire des bolcheviques. Mais ce qui a permis au communisme de jouer un rôle important au XX<sup>e</sup> siècle, pendant environ soixante-dix ans, c'était sa capacité à mobiliser les hommes, à inspirer confiance et à susciter l'espoir et la combativité. Une fois cette impulsion disparue, il n'est resté que le pouvoir militaire et économique d'un « camp » qui se voulait une grande puissance indestructible et en plein essor, même dans les périodes de stagnation. Mais voilà, l'année 1989 a rendu irréversible la crise du communisme en tant que modèle et idéal, et elle a montré comment son histoire a été, en fait, une succession de négations des promesses et des idéaux, et comment il a créé les prémices et des mécanismes liés à une vision du pouvoir dangereuse

et incontrôlable. Aux millions d'hommes et de femmes qui se sont battus pour le communisme et qui y ont cru, à tous ceux qui ont vécu ou qui sont morts pour lui, on peut citer Koestler, qui, voulant expliquer – à lui-même et au monde – sa métamorphose de défenseur du communisme en pourfendeur du communisme,

disait que la conversion au communisme n'était pas une mode ou une folie, mais bien l'expression sincère et spontanée d'un optimisme porté au désespoir. Il pensait que l'attirance pour cette « nouvelle foi » était une erreur tout à fait louable. Les hommes et les femmes qui ont connu le même parcours que lui

se sont trompés, certes, mais leurs raisons étaient bonnes et, toujours d'après Koestler, à quelques exceptions près (Bertrand Russell, H. G. Wells), les raisons de ceux qui méprisèrent la révolution russe dès ses débuts étaient bien moins honorables que les erreurs de ceux qui y ont cru. Et de conclure qu'il y avait un abîme entre l'amoureux déçu et celui qui est incapable d'aimer.

### HÉRITAGE DE L'HISTOIRE

Le visage du Che est imprimé sur des produits destinés aux touristes, à Cuba (en haut).

Des manifestations récentes de propagande en Chine (ci-dessous).

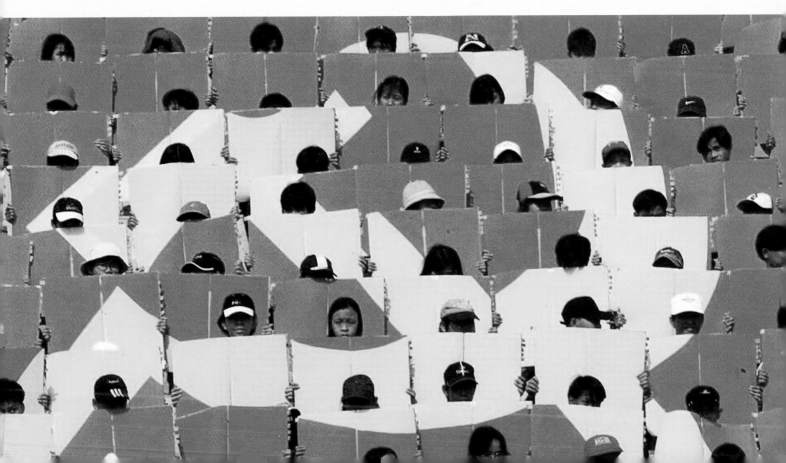

# 1848-1922

## C H R O N O L O G I E

### 1848

**Février**
Publication du *Manifeste du parti communiste* de Karl Marx et Friedrich Engels.
Le « printemps des peuples » éclate à Paris, Berlin, Vienne, Budapest, Prague, Milan et Venise.

### 1864

**Septembre** Naissance de l'Association internationale des travailleurs.

### 1871

**Mars-mai** La Commune de Paris

### 1872

Rupture entre les communistes et les anarchistes au congrès de l'Internationale, à La Haye.

### 1876

Le congrès de Philadelphie consacre la dissolution de l'Internationale.

### 1881

**13 mars** Assassinat d'Alexandre II par le groupe Volonté du peuple.

### 1883

Naissance en Russie de la première organisation marxiste.
Émancipation de la force de travail.

### 1889

**Juillet** Naissance de la IIe Internationale

### 1891

Congrès d'Erfurt : le Parti social-démocrate allemand adopte le marxisme.

### 1898

À Minsk, fondation du Parti ouvrier social-démocrate russe (POSDR).

### 1903

Le congrès de Bruxelles-Londres du POSDR consacre la rupture entre les bolcheviques et les mencheviks.

### 1905

**22 janvier** Dimanche rouge.
**17 février** Assassinat du gouverneur de Moscou.
**2 mai** Fondation du soviet de Saint-Pétersbourg.
**17 octobre** Manifeste du tsar.
**3 décembre** La police tsariste dissout le soviet de Saint-Pétersbourg. Fin de la révolution de 1905.

### 1914

**4 août** Le Parti social-démocrate allemand vote les crédits de guerre.
**Août** Les socialistes français entrent dans l'« Union sacrée ».

### 1915

**Septembre** Conférence, à Zimmerwald, des groupes socialistes opposés à la guerre.

### 1916

**Avril** Conférence, à Kienthal, des socialistes pacifistes et révolutionnaires.

### 1917

**23 février** Manifestation des femmes qui demandent du pain.
**25 février** Grève générale.
**28 février** Petrograd (nouveau nom de la capitale) est entre les mains des insurgés. Nicolas II abdique.
**1er mars** Ordre n° 1 du soviet de Saint-Pétersbourg.
**3 avril** Retour de Lénine en Russie et *Thèses d'avril*.
**Juin** Ier Congrès panrusse des soviets.
**9 juillet** Gouvernement Kerenski.
**27-29 août** Échec du coup de force du général Kornilov.
**25 septembre** Trotski acclamé président du soviet de Saint-Pétersbourg.
**10 octobre** Le comité central du Parti bolchevique décide l'insurrection.
**16 octobre** Création du Comité révolutionnaire militaire.
**23-25 octobre** Insurrection bolchevique.
**25 octobre** IIe Congrès panrusse des soviets.
**21 novembre** Création de la Tcheka.

### 1918

**5 janvier** Dissolution de l'Assemblée constituante.
**Janvier** Début de la guerre civile en Russie.
**Février** Organisation de l'Armée rouge.
**3 mars** Paix de Brest-Litovsk.
**5 septembre** Début de la « terreur rouge ».
**Novembre** Révolution en Allemagne.

### 1919

**Janvier** Insurrection à Berlin. Assassinat de Rosa Luxemburg et de Karl Liebknecht.
**Mars** Ier Congrès de la IIIe Internationale. République des Conseils en Hongrie.
**Avril** République des Conseils en Bavière.

### 1920

**Juillet-août** IIe Congrès de l'Internationale.

### 1921

**Janvier** Fondation du Parti communiste d'Italie.
**28 février-18 mars** Révolte de Kronstadt.
**8-16 mars** Xe Congrès du PCUS.
**Mars** Tentative révolutionnaire en Allemagne.
**Juillet** IIIe Congrès de l'Internationale. Fondation du Parti communiste chinois.

### 1922

**Février** La Guépéou remplace la Tcheka.
**3 avril** XIe Congrès du PCUS. Staline devient secrétaire général.
**30 décembre** Naissance de l'Union des républiques socialistes soviétiques. Nouvelle Constitution de l'URSS.

# 1923-1944

C H R O N O L O G I E

## 1923
**Avril** XII$^e$ Congrès du PCUS. Formation du « triumvirat ».
**21 octobre** Révolte de Hambourg.

## 1924
**21 janvier** Mort de Lénine.
**Mai** XIII$^e$ Congrès de l'Internationale. Alliance en Chine entre le Parti communiste et le Guomindang.

## 1926
**Janvier** III$^e$ Congrès du PCd'I (Parti communiste d'Italie) et Thèses de Lyon.
**4-12 mai** Grève générale en Grande-Bretagne.

## 1927
Répression de l'insurrection communiste à Shanghai par le gouvernement nationaliste de Tchang Kaï-chek.

## 1928
**Janvier** Trotski exilé à Alma-Ata.
**Juillet-septembre** Le VI$^e$ Congrès de l'Internationale énonce la doctrine du social-fascisme.

## 1929
**Janvier** Trotski exilé en Turquie.
**Avril** Lancement du premier Plan quinquennal.
**Septembre** Expulsion de Tasca du PCd'I.
**Novembre** Début de la collectivisation des campagnes en Union soviétique.

## 1930
Expulsion d'Amedeo Bordiga du PCd'I.
**Novembre** Procès contre le « parti industriel » en URSS, accusé de sabotage.

## 1931
**Juin** Procès contre d'anciens mencheviks et socialistes révolutionnaires du Gosplan.

## 1932
**Juin** Début de la disette en Ukraine.
**Décembre** Adoption du passeport interne en URSS.

## 1933
**Février** Le Parti communiste allemand devient clandestin.
**Septembre** Lancement du II$^e$ Plan quinquennal.

## 1934
**Janvier-février** XVII$^e$ Congrès du PCUS.
**Février** Insurrection ouvrière en Autriche. Le NKVD remplace la Guépéou.
**Juillet** Début de la Longue Marche en Chine.
**Octobre** Soulèvement des mineurs des Asturies.
**1er décembre** Assassinat de Kirov.

## 1935
**22 janvier** Arrestation de Zinoviev et de Kamenev, accusés d'avoir assassiné Kirov.
**Mai** Inauguration du métro de Moscou.
**Juillet** Naissance du Front populaire en France.
**Juillet-août** Le VII$^e$ Congrès de l'Internationale soutient les Fronts populaires.
**Août** Gramsci sort de prison.
**31 août** Le mineur Stakhanov extrait 100 tonnes de charbon en une nuit.
**Octobre** Fin de la Longue Marche à Yenan.

## 1936
**Février** Victoire du Front populaire en Espagne.
**3 mai** Victoire du Front populaire en France.
**Juin** Occupation des usines en France.
**17 juillet** Pronunciamento des généraux espagnols.
**19-24 août** Ouverture du premier « procès de Moscou ».
**Décembre** Nouvelle Constitution en URSS.

## 1937
**Janvier** Deuxième « procès de Moscou ».
**Mai** Répression communiste contre les anarchistes et les exposants du POUM à Barcelone.
**Juin** Toukhatchevski et huit généraux de l'Armée rouge sont fusillés.
**Août** Les communistes chinois créent le front anti-japonais avec les nationalistes.

## 1938
**Janvier** Khrouchtchev devient secrétaire du Parti communiste d'Ukraine.
**Mars** Troisième « procès de Moscou ». Iejov tombe en disgrâce et est remplacé par Beria.

## 1939
**23 août** Pacte germano-russe de non-agression.
**1er septembre** Hitler envahit la Pologne. Début de la Seconde Guerre mondiale.
**17 septembre** L'Armée rouge entre en Pologne. Liquidation de la direction du Parti communiste polonais en URSS.

## 1941
**22 juin** Début de l'« opération Barbarossa » : l'Allemagne attaque l'URSS.

## 1942
**Septembre** Début de la bataille de Stalingrad.

## 1943
**31 janvier** Le général allemand Von Paulus se rend à Stalingrad.
**15 mai** Dissolution du Komintern.

## 1944
**27 janvier** Fin du long siège de Leningrad (870 jours).
**Février** Déportations de Tchétchènes et d'Ingouches.
**Septembre** L'Armée rouge entre en Roumanie, en Hongrie et en Bulgarie.

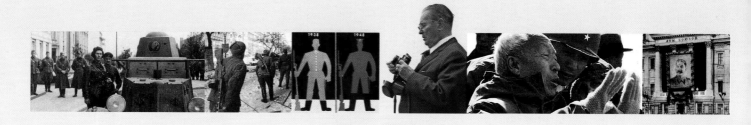

# 1945-1970

## 1945
**4-11 février** Conférence de Yalta.
**30 avril** L'Armée rouge à Berlin.
**17 juillet-2 août** Conférence de Potsdam.

## 1946
**Janvier** Les Soviétiques occupent la Corée du Nord.
**Février** Début du IVᵉ Plan quinquennal.

## 1947
Reprise de la guerre civile en Chine.
Les partis communistes sont expulsés des gouvernements de coalition en France, en Belgique et en Italie.
**Octobre** Création du Kominform.

## 1948
**Février** Gouvernement à un seul parti en Tchécoslovaquie.
**Juin** Rupture entre Tito et Staline. La Yougoslavie est expulsée du Kominform.
Blocus soviétique de Berlin et pont aérien américain pour approvisionner la ville.

## 1949
**Janvier** Pékin occupée par l'armée communiste.
**25 septembre** Premier essai nucléaire soviétique.
**1ᵉʳ octobre** Naissance de la République populaire de Chine.

## 1950
**25 juin** Début de la guerre de Corée.

## 1951
**Mars-juin** Procès Rosenberg aux États-Unis.
**Novembre** Arrestation du Secrétaire du Parti communiste tchécoslovaque Rudolf Slánský.

## 1952
**Décembre** Slánský exécuté après un simulacre de procès.

## 1953
**5 mars** Mort de Staline.
**16 juin** Révolte de Berlin-Est.

**27 juillet** Armistice en Corée.
**Septembre** Khrouchtchev est élu premier secrétaire du PCUS.

## 1954
La Chine approuve la nouvelle Constitution.
**7 mai** Défaite française à Diên Biên Phu.
**21 juillet** Séparation du Viêt Nam. La France quitte l'Indochine.

## 1955
L'industrie et le commerce sont nationalisés en Chine.
**18-27 avril** Conférence de Bandung.
**14 mai** Signature du pacte de Varsovie.

## 1956
**Février** XXᵉ Congrès du PCUS. Rapport secret de Khrouchtchev.
**28 juin** Révolte de Poznań.
**Octobre** Révolte populaire à Budapest.
**4 novembre** Les blindés soviétiques répriment la révolte hongroise dans le sang.
**Décembre** Le VIIIᵉ Congrès du PCI inaugure la « voie italienne au socialisme ».

## 1957
**4 octobre** Lancement du premier Spoutnik.
**Décembre** Mao conclut la campagne des Cent Fleurs.

## 1958
Grand Bond en avant en Chine.
Pasternak est obligé de refuser le prix Nobel.

## 1959
**1ᵉʳ janvier** Victoire de la révolution cubaine.
Les rapports entre l'URSS et la Chine se détériorent.

## 1960
**Juillet** Les techniciens russes sont rapatriés de Chine.
**Septembre** Khrouchtchev aux Nations unies.

## 1961
**12 avril** Gagarine en orbite autour de la Terre.

**Avril** Tentative d'invasion de Cuba.
**Août** Construction du mur de Berlin.
**17-31 octobre** XXIIᵉ Congrès du PCUS.
**30 octobre** Le corps de Staline est retiré du mausolée de Lénine, sur la place Rouge.

## 1962
**Octobre** Crise des missiles entre Kennedy et Khrouchtchev.

## 1963
**Novembre** Crise dans les rapports sino-soviétiques.

## 1964
**Octobre** Khrouchtchev est démis de ses fonctions de secrétaire du PCUS et remplacé par Brejnev.

## 1965
**Septembre** Révolution culturelle en Chine.

## 1967
L'armée met fin à la Révolution culturelle.
**9 octobre** Che Guevara est tué en Bolivie.

## 1968
**Janvier** Offensive du Têt au Viêt Nam.
**Mars** Début du « printemps de Prague ».
**Mai** Révolte des étudiants et des ouvriers en France.
**20 août** Les blindés soviétiques entrent à sPrague.

## 1969
**Janvier** Ian Palach s'immole à Prague pour protester contre l'invasion soviétique.
Affrontements entre Chinois et Russes sur l'Oussouri.
**2 septembre** Mort de Hô Chi Minh.
« Automne chaud » des syndicats en Italie.

## 1970
**Décembre** Révolte des ouvriers de Dantzig.

# 1971-2000

C H R O N O L O G I E

## 1971
Début du « dégel » entre la Chine et les États-Unis.
**11 septembre** Mort de Khrouchtchev.

## 1974
**Février** Soljenitsyne est expulsé d'URSS.

## 1975
**Avril** La guérilla communiste est à Phnom Penh.
Les guérilleros Viêt-cong libèrent Saigon.
**Août** Accords d'Helsinki.
**Décembre** Andreï Sakharov reçoit le prix Nobel
de la paix.

## 1976
**8 janvier** Mort de Chou En-lai.
**Janvier** Mengistu, en Éthiopie, se déclare marxiste.
**9 septembre** Mort de Mao Zedong.

## 1977
Affrontement au Cambodge, en Thaïlande et au
Viêt Nam.
L'Eurocommunisme essaie de s'organiser.
**Octobre** Guerre entre l'Éthiopie et la Somalie.

## 1978
**Août** Nouvelle répression de la dissidence en
URSS.

## 1979
**Janvier** L'armée vietnamienne entre au Cambodge.
**18 juillet** Signature de SALT II à Vienne.
**Décembre** Invasion soviétique de l'Afghanistan.

## 1980
**Janvier** Sakharov est exilé à Gorki.
**Août** Naissance de Solidarność.

## 1981
**Janvier** Jugement de la « bande des quatre ».
**Décembre** Loi martiale en Pologne.

## 1982
**Novembre** Mort de Brejnev. Andropov lui succède.

## 1984
**Février** Mort d'Andropov. Tchernenko lui succède.

## 1985
**Mars** Gorbatchev devient secrétaire général du
PCUS.

## 1986
**24 février-6 avril** Au XXVIIᵉ Congrès du PCUS,
Gorbatchev lance la perestroïka.
**26 avril** Catastrophe de Tchernobyl.

## 1988
**Février-juin** Affrontement entre Azéris et
Arméniens.

## 1989
**Janvier** En Pologne, début de la « table ronde »
entre le gouvernement et Solidarność.
La Hongrie accède à la démocratisation.
Ouverture du « rideau de fer » entre la Hongrie
et l'Autriche.
**Juin** Massacre de la place Tien An-men.
**Août** En Pologne : premier gouvernement non
communiste et élu par le peuple.
Dans une démocratie populaire.
**Octobre** Naissance de la nouvelle République
de Hongrie.
**9 novembre** Chute du mur de Berlin.
**Novembre** Manifestations quotidiennes du
Forum démocratique en Tchécoslovaquie.
**Décembre** Gouvernement d'unité en
Tchécoslovaquie.
Arrestation, procès et exécution de Ceaușescu.

## 1990
Premières élections démocratiques en RDA.
Le parlement lituanien proclame l'indépendance.

## 1991
**Février** En Lituanie, malgré la répression,
victoire des indépendantistes au référendum.
**Août** Un Comité d'état d'urgence dépose
Gorbatchev et proclame l'état de siège. Le coup
d'État échoue. Gorbatchev rentre à Moscou.
**Août-septembre** Eltsine dissout le PCUS.
**Décembre** L'Ukraine choisit l'indépendance.
Naissance de la CEI, mort de l'URSS.

## 1992
**Juillet** La Constitution cubaine est modifiée :
l'État n'est plus « athée », mais « laïc ».
**Septembre** Le Parti communiste chinois
intensifie les réformes économiques en faveur
du marché libre.

## 1993
**Mars** Jiang Zemin est président de la
République populaire de Chine et de la
Commission militaire du Parti.

## 1994
**Juillet** Mort de Kim Il Sung, son fils Kim Jong
devient le leader de la Corée du Nord.

## 1996
**Février** Arrestations en masse d'activistes pour
les droits civiques à Cuba.

## 1997
**Février** Mort de Deng Xiaoping.
**Juillet** Hongkong revient à la Chine.
La police politique cubaine arrête de nombreux
dissidents.

## 1998
**Juillet** Kim Il Sung est déclaré « Président éternel ».

## 2000
**Juin** Rencontre entre les présidents des deux Corées.
**Novembre** Cuba : l'affaire du petit Eliàn éclate.

## 2001
**Avril** Incident diplomatique suite à une collision
aérienne entre un appareil américain et un
chasseur chinois.
Nouvelles tensions entre la Chine et Taiwan.

## 2002
**Juillet** Au cours d'une visite à Cuba, Jimmy
Carter demande des réformes et condamne
l'embargo.

## 2003
**Avril** Nouvelle vague de répression de la
dissidence à Cuba, avec des condamnations
« exemplaires ».

# Index des noms

## Crédits photographiques

Archives photographiques de la Fondation Giangiacomo Feltrinelli, Milan (cortesia) : 47 b, 50 b, 55 hg, 55 hd, 55b, 56 bg, 56 bd, 65 hd, 65 b, 67 hd, 70 hg, 70 hd, 73 b, 75 h, 75 b, 82 bs, 82 bd.

Contrasto: 171 h.

Corbis / Contrasto : 9 b, 18hd, 19bg, 19 bd, 22-23, 31 b, 32 h, 33 bg, 33 bd, 35 b, 36 b, 37 hg, 37 b, 46 b, 48 h, 50 h, 51 c, 51 bd, 52 b, 53 hg, 57 b, 58-59, 60 b, 61 b, 62 h, 62 b, 63 h, 63 b, 64 h, 64 b, 66 b, 67 b, 69 b, 70 b, 71 hg, 72 b, 73 h, 74 b, 77 b, 79 h, 81 hg, 81 hd, 81 b, 84 b, 85 h, 85 b, 88 b, 89 bg, 89 bd, 91 bg, 95 b, 96 h, 97 hg, 97 hd, 98 hg, 98 hd, 98 b, 99 hg, 99 bg, 100 hd, 101 b, 102 h, 103 hg, 103 b, 104 bg, 106 hd, 107 h, 107 b, 108 hg, 108 bg, 108 bd, 109 h, 109 c, 109 b, 112 h, 112 bg, 112 bd, 113 h, 113 b, 114 h, 114 b, 118 h, 121bd, 122 h, 122 b, 123 h, 123 b, 124 h, 124 b, 125 hg, 125 hd, 125 b, 126 h, 126 b, 127 c, 127 bg, 127 bd, 128-129, 130 h, 130 b, 131 hd, 131 b, 132 c, 133 h, 133 b, 134 hg, 134 hd, 134 bg, 134 bd, 135 b, 136 hg, 136 hd, 136 bg, 136 bd, 137 hg, 137 hd, 137 b, 138 hd, 139 b, 140 h, 141 h, 141 b, 142 h, 142 b, 143 h, 144 h, 144 b, 145 b, 146 h, 146 bg, 146 bd, 149 b, 150 h, 150 bg, 151 b, 152 bg, 152 bd, 154 b, 155 h, 156 hg, 156 c, 157 hd, 157 b, 161 b, 162 h, 162 bg, 163 h, 164 h, 165 h, 166-167, 167 b, 169 b, 170 h, 170 b, 172 b, 173 h, 173 b, 174 h, 174 bd, 175 h, 175 b, 176 b, 177 h, 178 bg, 178 bd, 179 b, 183 h.

Corbis / De Bellis : 76-77, 185 b.

Erich Lessing / Contrasto : 118 b, 119 h, 119 b, 120 h, 120 b.

Fototeca Storica Nazionale Ando Gilardi : 68 bd.

Gamma / Contrasto : 180 h, 180 b.

Keystone / Grazia Neri : 54 bd.

L'Illustration / Grazia Neri : 54 bg, 83 h.

Magnum / Contrasto : 86 h, 86 bs, 86 bd, 87 h, 87 bd, 94-95, 101 h, 104 h, 105 h, 106 hg, 106 b, 110-111, 111 b, 115, 116 g, 116 b, 117 g, 117 b, 121 c, 121 bg, 129 b, 131 hg, 132 b, 135 c, 138-139 b, 139 h, 139 c, 140 b, 143 b, 145 h, 146 h, 147 h, 147 c, 147 b, 150 bd, 151 h, 152 h, 153 h, 153 b, 154 hg, 155 bg, 155 bd, 157 hg, 158 h, 158 b, 159 h, 159 b, 160 c, 160 bg, 160 bd, 161 hg, 161 hd, 162 bd, 163 b, 164 c, 164 b, 165 c, 165 b, 168 h, 168 b, 169 h, 170 b, 172 h, 174 bg, 176 h, 177 b, 178 h, 179 h, 181 h, 181 b, 182 h, 183 b, 184 h, 184 b, 185 h.

Olycom : 84 as.

Photo12 / Grazia Neri : 148-149.

Roger-Viollet / Contrasto : 10 h, 11 b, 14 hg, 14 hd, 14 b, 17 bd, 17 hg, 17 hd, 20 b, 24 h, 28 h, 29 b, 30 hd, 30 b, 33 h, 34 b, 35 h, 36 hd, 40-41, 42 b, 43 h, 44 c, 45 b, 49 hd, 60 h, 61 h, 72 c, 74 h, 78 b, 79 bg, 79 bd, 89 hd, 92 h, 92 b, 96 b, 97 b, 102 b.

h (haut), hc (en haut, au centre), hd (en haut, à droite), hg (en haut, à gauche), b (en bas), bd (en bas, à droite), bg (en bas, à gauche), c (au centre).